LE MYOPE CONTRE-ATTAQUE

Marc-André Pilon

LE MYOPE CONTRE-ATTAQUE

ÉDITIONS DE MORTAGNE

Catalogage avant publication de
Bibliothèque et Archives nationales du Québec
et Bibliothèque et Archives Canada

Pilon, Marc-André, 1980-

Le myope contre-attaque

Suite de : La revanche du myope.
Pour les jeunes.

ISBN 978-2-89074-973-3

I. Titre.

PS8631.I483M96 2012 jC843'.6 C2011-942913-6
PS9631.I483M96 2012

Édition
Les Éditions de Mortagne
C.P. 116
Boucherville (Québec) J4B 5E6

Distribution
Tél. : 450 641-2387
Téléc. : 450 655-6092
Courriel : info@editionsdemortagne.com

Dépôt légal
Bibliothèque et Archives Canada
Bibliothèque et Archives nationales du Québec
Bibliothèque Nationale de France
1er trimestre 2012

ISBN 978-2-89074-973-3

1 2 3 4 5 – 12 – 16 15 14 13 12

Imprimé au Canada

Nous reconnaissons l'aide financière du gouvernement du Canada par l'entremise du Fonds du livre du Canada (FLC) et celle du gouvernement du Québec par l'entremise de la Société de développement des entreprises culturelles (SODEC) pour nos activités d'édition. Gouvernement du Québec – Programme de crédit d'impôt pour l'édition de livres – Gestion SODEC.

Membre de l'Association nationale des éditeurs de livres (ANEL)

Le côté obscur de la Force, redouter tu dois.

– Yoda

PROLOGUE

(MIEUX VAUT PRÉVENIR QUE GUÉRIR...)

1er septembre

Aujourd'hui, c'était le grand jour, le jour J : la rentrée scolaire. La première journée de ma troisième année du secondaire.

– Feu à volonté ! entendis-je hurler derrière moi.

En guise de bienvenue, je reçus une autre boîte de jus par la tête. Ce coup-ci, c'était « pomme-raisin ».

Miam. Ma sorte préférée…

– Quinze points ! Je suis rendu à quatre-vingt-dix ! se réjouit quelqu'un ayant la bosse des mathématiques (pour ma part, je commençais à avoir une bosse tout court…).

Ces offrandes venaient du fond du bus. Critère pour s'y asseoir : dépasser les autres d'une tête. C'était probablement des cinquièmes secondaires, les cool de la place. Trop cool pour avoir obtenu leur permis de conduire, j'imagine…

– Attrape ça !

La guignolée aérienne se poursuivait. Nouvelle boîte de jus sur la nuque. De légumes, cette fois. Tiens, tiens ! Il y en avait au moins un qui faisait attention à sa santé (ou plutôt, sa mère s'en chargeait pour lui…).

Pour être franc, ce n'était pas du tout l'accueil auquel je m'attendais.

En fait, je ne savais pas à quoi m'attendre en raison des événements de l'année passée : une prof kidnappée, des expériences effectuées sur les élèves par un réseau d'entreprises intitulé Power Power… Des aventures plus rocambolesques les unes que les autres qui m'avaient conféré un statut quasi héroïque durant les derniers mois d'école.

Quand l'autobus s'était pointé ce matin-là, j'avais encore espoir. Oui, je l'avoue. J'espérais que les autres se souviendraient de tout ce que j'avais accompli avec mes amis et que je n'étais pas redevenu ce *nerd* qu'on montrait du doigt…

Mais non… J'avais eu droit à l'accueil le plus anonyme du monde. Et ce, même si je m'étais transformé en Indiana Jones pour entrer dans le bus : j'avais bondi sur la première marche, au moment où les portes se refermaient et qu'il ne restait qu'une petite fente. Bon, il me manquait le chapeau et le fouet, je sais… mais l'illusion était parfaite, je vous le jure. Pourtant, je n'avais suscité aucune réaction chez mes compatriotes. *Niet*. Zéro. Décidément, deux mois de coma estival étaient suffisants pour tout oublier…

Par la suite, le festival du projectile alimentaire avait commencé.

– Hey Double-Menton, on te parle ! T'as pas soif ?

Je reçus une autre boîte de jus dans le dos. Super. J'en avais assez pour survivre sur une île déserte pendant des mois. Mais pourquoi « Double-Menton » ? Je ne comprenais pas ce nouveau surnom.

– ON SE CALME AU FOND !

Hou là ! Le chauffeur venait de se fâcher. Et quelle pièce d'homme ! Tout chez lui était gros. À force de conduire son rutilant bolide jaune, il en avait épousé la forme. Où finissait son ventre et où commençait le siège ? Impossible à déterminer. En tout cas, mes lunettes n'étaient pas assez puissantes. Le bonhomme Pillsbury me regardait dans son rétroviseur, les sourcils froncés. Comme si j'étais l'unique cause de toute cette pagaille !

– Hic !

Oh oh ! Hoquet louche à tribord ! C'est ça qui arrive quand on s'assoit à côté de Sébastien Morand-Voyer, mon coloc de dortoir. Un gars qui a, disons, un mal de mer perpétuel.

– Hic !

Dire que c'était la meilleure place que j'avais trouvée… Pendant que j'avançais dans l'allée, les élèves sur le bord des fenêtres s'étaient soudain découvert des amis imaginaires : « Désolé, cette place est prise. »

– Hic !

Au fond du bus, j'avais été accueilli par une bande de gars qui mâchaient leur gomme comme certains mammifères ruminent la paille. Sympathique. J'avais donc rebroussé chemin et m'étais assis à l'avant. Avec la seule personne que je connaissais : le gars dont les papillons d'estomac allaient prendre leur envol d'un instant à l'autre...

– Hic !

– Ça va, Sébas ? demandai-je.

Il hocha de la tête, sans ouvrir la bouche. Il avait probablement peur de ce qui pouvait en sortir.

– Hic !

N'en pouvant plus, il agrippa un petit sac brun et le fixa avec obsession, comme s'il comptait s'en servir. En somme, c'était très plaisant comme trajet d'autobus.

– Humpft !

Oh non ! Ça y est ! Il vient de mettre sa bouche dans le sac ! Mettez-vous à couvert, ça va exploser !

Pause.

Il respire bruyamment.

De plus en plus vite.

Lâche un petit rot.

Mais en reste là…

Fiou ! Peut-être que j'allais m'en tirer, et arriver au collège de façon présentable, c'est-à-dire sans exposer le déjeuner de Sébas sur mon chandaïl…

– T'es sûr que ça va ? m'informai-je. Est-ce que je peux faire quelque chose pour toi ?

Il tourna la tête dans ma direction pour me signifier qu'il allait bien, mais baissa aussitôt les yeux. Lui aussi ! Depuis que j'étais arrivé, personne ne soutenait mon regard. Tous fixaient le bas de mon visage. C'était bizarre… et vraiment fatigant !

Agacé, je me tournai vers le rétroviseur du chauffeur pour m'y observer. À première vue, il n'y avait rien à signaler. Tout était à sa place : 1) mes fonds de bouteille, qui pourraient être revendus comme portes-fenêtres ; 2) ma coupe champignon, cultivée à merveille par le pouce vert de mon coiffeur ; 3) mes dents de la mort qui rendraient jaloux n'importe quel faux requin caoutchouteux de film d'horreur de série B. Bref : m-o-i. Pierre-Antoine Gravel-Laroche, le gars au nom qui « roche ». Je ne voyais pas le problème.

À moins que… mais attendez une seconde ! Quelle était cette étrange montagne rougeâtre sur mon menton ? Cet énorme volcan, proche de l'irruption ?

Non ! Pas vrai !

Un bouton !

Ou plutôt, la version mutante d'un bouton radioactif. Impossible ! La Chose occupait tout le bas de mon visage ! Avoir entendu que de telles atrocités existaient, je ne l'aurais pas cru… La honte totale. Qu'allais-je faire ? Surtout qu'on arrivait à destination.

L'école.

Ce cher bloc de béton gris et laid.

– Terminus : on sort du bus, annonça le chauffeur, nous faisant la démonstration de ses incroyables talents de poète.

Je ne pouvais pas me présenter en classe ainsi ! Pas avec la version cutanée du mont Everest dans la face !

– Tu descends pas, Double-Menton ? entendis-je derrière moi.

Même les cool quittaient maintenant l'autobus. Tout le monde était parti. Il ne restait plus que Morand-Voyer, son sac chéri et moi.

– Qu'est-ce que vous attendez ? nous lança le chauffeur de sa voix lasse et grasse.

J'hésitais. Tout à coup, mes semelles me semblaient extrêmement lourdes.

– Tu peux y aller, p'tit gars, ils te mangeront pas, m'encouragea-t-il en voyant mon air incertain.

Inutile de lui expliquer, il ne comprendrait pas. Ce n'était pas lui qui, dans quelques secondes, devrait affronter le regard des autres, avec un nouvel ami reluisant de bonheur sur le menton…

J'étais tiraillé par une foule d'émotions contradictoires.

D'une part, j'avais hâte de retrouver mes amis : Jo, Jérémi et Andréanne. Surtout Andréanne, de qui, inutile de le nier désormais, j'étais tombé amoureux. Son souvenir n'avait cessé de me tourmenter durant mon séjour en Gaspésie (gracieuseté de mes parents qui m'avaient exilé chez une tante tout l'été). Une seule question m'obsédait : allais-je réussir à lui avouer mes sentiments ?

D'autre part, je pensais à ce qui m'attendait pour les mois à venir : des enseignants loufoques, des consignes ridicules, des travaux d'équipe inutiles. À cette liste, je pouvais maintenant ajouter des cinquièmes secondaires, champions toutes catégories au lancer de la boîte de jus…

– Alors, c'est pour aujourd'hui ou pour demain ? insista le chauffeur.

Même si ça ne me tentait pas, je devais me rendre à l'évidence : je n'avais plus le choix. Je sortis donc à mon tour.

Sans grand enthousiasme.

Le pavillon des troisième, quatrième et cinquième secondaires me faisait face. La cour des grands. À première vue, il n'y avait pas grand-chose de différent par rapport à l'ancien, mais les rumeurs laissaient sous-entendre que ce n'était pas le cas. Selon celles-ci, le bois entourant l'école était la source de phénomènes bizarres chez ceux qui osaient s'y aventurer. Voilà pourquoi on l'avait surnommé la « Forêt magique ».

Du moins, c'est ce que j'avais entendu entre les branches…

– P.-A. !!!

Jo, mon meilleur ami !

Sortant de nulle part, mon copain asiatique m'atterrit dans les bras tel un avion qui s'écrase dans le Pacifique. Un vrai kamikaze !

C'est fou à quel point il m'avait manqué !

– Ça va !? m'exclamai-je.

– T'es pas arrivé hier soir ? me demanda-t-il, louchant au maximum pour éviter monsieur Pustule, mon bouton à la personnalité débordante.

– Mes parents ont préféré que je prenne l'autobus, répondis-je. Disons qu'ils ont un peu peur dès que je m'approche de leur nouvelle voiture…

Au souvenir de notre mésaventure automobile de l'hiver dernier, Jo éclata de rire. J'étais trop content de le revoir. Revenir à l'école avait ses bons côtés, finalement.

– Est-ce que Jérémi est là ? le questionnai-je.

J'avais hâte de savoir ce que devenait notre nouveau complice.

– Non… Ses parents l'ont changé d'école : ils ont conclu que le collège n'était pas l'endroit le plus sécuritaire en ville…, expliqua-t-il.

Les événements peu glorieux de l'an dernier leur donnaient raison. D'ailleurs, pourquoi mes parents m'y avaient-ils réinscrit, eux ?

Courage ou naïveté ?

Ne pouvant plus me retenir, je posai à Jo la question qui me brûlait les lèvres depuis le début :

– Et Andréanne ? Elle est là, elle ?

Mon ami parut mal à l'aise. Il semblait chercher une réponse en évitant mon regard. Et cette fois, mon petit doigt me disait que ce n'était pas à cause de ma charmante tumeur faciale.

– Oui, oui, finit-il par admettre, hésitant.

Que se passait-il ? Drôle de comportement ! Pour ma part, l'attente devenait insoutenable.

– Qu'est-ce qu'on attend pour aller la voir, alors ? m'impatientai-je.

Je m'avançai pour me diriger vers la porte d'entrée.

– Minute ! m'arrêta-t-il en se plantant devant moi pour me barrer la route. Je t'ai pas encore parlé du nouvel ordi que j'ai eu pour ma fête.

Quelque chose ne tournait pas rond, c'était évident !

– Qu'est-ce qui te prend, Jo ? Pourquoi tu me laisses pas passer ?

– Moi ? Voyons… ! Je t'empêche de rien !

– C'est quand même pas à cause de la grosse affaire que j'ai dans la face ?

– Affaire ? Quelle grosse affaire ? répondit-il sur un ton peu convaincant.

Quel mauvais acteur… Il mit ensuite ses mains derrière son dos, regarda au loin et sifflota comme un innocent. D'où lui venait cette réaction ? Andréanne est la fille la plus intelligente que je connaisse et l'apparence n'est pas une priorité pour elle. Aucun risque qu'elle cesse de m'apprécier à cause de mon volcan en pleine activité.

J'en avais marre.

Je me tassai vers la droite, Jo m'imita. Je bougeai vers la gauche, il fit de même. Ce petit jeu avait assez duré. Il fallait passer à l'action :

– Ton lacet est détaché.

– Quoi ? fit-il en baissant les yeux.

Le moment de distraction fut suffisant pour le contourner. Il tenta d'agripper mon chandail, sans y parvenir. À toute vitesse, je courus vers la porte de l'école et l'ouvrit. Ça grouillait de monde dans le corridor. Mais pas d'Andréanne en vue. Je continuai ma recherche, accélérant le pas. Derrière moi, un rapide coup d'œil m'apprit que Jo me suivait encore. Heureusement, il heurta un autre élève et renversa la pile de feuilles que celui-ci tenait dans ses mains. Gêné, mon ami se pencha pour les ramasser, se confondant en excuses. Ça me donnerait quelques secondes pour le distancer. J'entrai dans la grande salle et…

… c'est là que je la vis.

Assise sur un banc. Mon cœur fit un bond de géant en l'apercevant. Elle n'avait pas changé d'une miette. Pour moi, son look classique, avec ses cheveux bruns, ses yeux bruns et ses broches, était devenu le summum lorsque j'avais découvert sa beauté intérieure.

Mais quelque chose clochait.

Dans mon énervement, je ne compris pas ce que c'était. Pas tout de suite, en tout cas. J'observais la scène lorsque Jo, tout essoufflé, me rattrapa. Il me prit par le bras pour m'entraîner au loin. Manifestement, il voulait m'éviter une découverte désagréable. Mais il n'en eut pas le temps. C'est à ce moment que je réalisai : Andréanne n'était pas seule !

Une autre personne était assise à ses côtés.

Un gars.

PREMIÈRE PARTIE

MALADE D'AMOUR

I

15 octobre

Déjà un mois et demi d'écoulé.

Et c'était maintenant officiel : il s'agissait de mon pire début d'année à vie. Non seulement les gens avaient complètement oublié qu'on avait sauvé madame Maheu mais, en prime, j'étais de nouveau intimidé. Par une bande plus âgée, cette fois. Je devais donc me promener avec un casque de bain dans les poches (au cas où mes persécuteurs auraient voulu me plonger la tête dans une toilette…).

Pour compléter ce tableau noir : la situation entre Andréanne et moi n'était pas du tout réglée. Oh que non ! Et il n'était pas question que je m'en occupe aujourd'hui… Pour l'instant, je préférais régler le cas de ma tronche, totalement découragé par l'image que me renvoyait mon miroir.

– Arrête de jouer avec ! me conseilla Jo, se prenant pour un grand dermatologue.

La première version de mon bouton, l'original, avait disparu. Oui. Mais depuis, il avait appelé des renforts : des amis… et des cousins. Plus tenaces que ça, tu meurs ! Mon menton ressemblait maintenant à un champ de mines… Très chic.

– Tu te décides ?

Jo voulait aller déjeuner. À l'entendre, son estomac était en train de s'auto-digérer de l'intérieur. Pour ma part, mourir de faim me semblait une option plus intéressante que celle de voir Andréanne.

– Pourquoi tu viens pas ? insista-t-il.

Ça ne me servait à rien de répondre. Il savait très bien pourquoi je ne voulais pas mettre les pieds à la cafétéria.

– C'est quand même pas à cause d'Alex ?

Alexandre Lebeau-Dubois, le nouveau pensionnaire qui était assis avec Andréanne à la rentrée. La cause de tous mes malheurs. Un grand blond qui avait tout pour lui et qui, en plus, se cachait derrière une façade de timidité pour attendrir les demoiselles.

– T'as tellement pas rapport..., répondis-je sans assurance.

Bien entendu, Jo avait raison. À mon plus grand désespoir, Andréanne était tombée dans le panneau de ce séducteur. Elle ne le quittait plus d'une semelle. Impossible d'être seul avec elle et impossible de dire quoi que ce soit contre lui : c'était un ange ! Eh bien, moi, Lebeau-Dubois, il commençait à me faire vraiment... euh... allons, P.-A., n'aie pas peur des mots... scier !

– T'as aucune preuve qu'ils sortent ensemble, renchérit Jo. Tu les as même pas vus s'embrasser.

– Comme si j'avais besoin de tout voir...

J'entendis alors un étrange gargouillis. L'appétit de Jo essayait de creuser un tunnel jusqu'à mon oreille. Mon ami voulait que je prenne une décision. Maintenant.

« Grrrrrrrreeeeeuuuum... »

Devant cet ultimatum intestinal, je me regardai une dernière fois dans le miroir : j'avais les traits tirés et les poches sous mes yeux pouvaient rivaliser avec celles d'un raton laveur insomniaque. Sans parler de ma silhouette rachitique… Éviter la cafétéria à nouveau n'était peut-être pas une très bonne idée.

– OK, OK, si t'insistes, finis-je par lâcher, on peut y aller.

À destination, un rapide coup d'œil me soulagea : Andréanne n'était pas là. On allait donc pouvoir se cacher parmi les autres élèves, espérant qu'elle ne nous voit pas à son arrivée.

Après avoir reçu des toasts enduites d'une marmelade de grand-mère gluante (la marmelade, pas la grand-mère…), je trouvai la table idéale : celle derrière les membres de l'équipe de basketball. L'un d'eux, un Africain en échange étudiant, devait mesurer au moins trois mètres.

– ATCHOUM !

– Ça va, Jo ?

– Oui, oui… je sais pas ce que j'ai. ATCHOUM ! J'arrête pas d'éternuer. Je comprends pas. C'est pas la saison des allergies, pourtant…

Un écho d'éternuement lui répondit. Autour de nous, c'était un véritable concert de spasmes nasaux. Plutôt curieux ! Cette année, je ne sais pas ce qui se passait, mais le nombre de maladies qui frappaient les élèves était assez impressionnant. Au début, je pensais que certains feignaient pour reporter un examen (après avoir pris connaissance des questions grâce à leurs amis, bien entendu), mais ça commençait à faire trop de monde.

– Tiens, tiens, si ce n'est pas Double-Menton !

Merde ! Même assis ici, j'avais été repéré par la bande de cinquième secondaire qui me prenait comme cible.

– Quoique, maintenant, on pourrait t'appeler Quadruple-Menton ! me nargua-t-il.

Celui qui me parlait en ce moment était leur chef. Un grand rouquin dont j'ignorais le nom et qui avait des parents extrêmement riches (ce qui est communément appelé un roux de fortune). Avec ses mille et une taches de rousseur, on aurait dit qu'il s'était fait bronzer derrière une moustiquaire.

– AHAHAHAHAH ! entendis-je derrière lui, avec un certain retard.

En voilà un qui appréciait ce genre d'humour : Francis Lebœuf-Haché, l'ancien acolyte de Yannick. Ce dernier ayant quitté notre école – sûrement pour aller intimider quelqu'un d'autre ailleurs –, Francis s'était trouvé un nouveau gang pour semer la terreur. Et quand Poil-de-Carotte[1] m'affublait de surnoms, ça le faisait toujours rigoler.

– Dégage, Dents-de-la-Mer. T'es à notre place !

---

1. Bien entendu, se moquer des gens en raison de la couleur de leurs cheveux n'est pas très gentil. Ici, je le fais uniquement parce que c'est lui qui a commencé en m'intimidant. Et quand vient le temps de me défendre, l'humour est la seule arme que je manie efficacement…

Un nouveau surnom ! *Mister* Rouquin était en feu aujourd'hui ! Franchement, je n'en pouvais plus de ses sarcasmes. Je m'apprêtais à lui répondre quelque chose de spirituel (du genre : « Les dents de la mère ? Laquelle ? La tienne ? ») lorsque Jo me donna un coup de pied sur le tibia.

– Le bulletin zéro ! chuchota-t-il.

C'était bien vrai ! Comment avais-je pu oublier ce bout de papier, nouvellement instauré par le ministère de l'Éducation et uniquement consacré à notre comportement ? Pour l'occasion, l'école avait organisé une rencontre entre les parents et les professeurs. Événement ayant lieu ce soir et que mes parents ne manqueraient pas. Habituellement, ils se faisaient féliciter pour ma conduite exemplaire, mais je ne sais pas pourquoi, cette année, j'avais un mauvais pressentiment...

– Bouge ! insista Grosse-Rousseur en nous bousculant. Grouille-toi !

Au loin, notre nouveau surveillant s'était mis à jouer des biceps et des pectoraux, prêt à intervenir pour régler notre petit conflit. Ce n'était pas une très bonne idée de fâcher ce croisement entre Arnold Schwarzenegger et Monsieur Net. On changea donc rapidement de place. N'ayant pas très faim, je me disais que ce n'était pas l'heure de manger des baffes…

– J'aurais dû lui répondre ! dis-je à Jo, après que nous nous fûmes éloignés.

– Attends à demain, après la rencontre des parents, analysa mon ami, prudent. Au pire, on se reprendra à l'Halloween. Qu'en penses-tu ?

L'Halloween ! Très bonne idée ! Bien costumés, nous pourrions profiter de l'occasion pour commettre le crime parfait. Ni vu ni connu.

– Hey ! Mille-Mentons ! C'est notre place, ça.

Encore !? La bande d'Incendie-Capillaire nous avait suivis et nous refaisait le même coup. Cette fois, une voix vint à ma rescousse :

– Tu devrais t'en prendre à du monde de ton âge, grand insignifiant !

Perruque-Rouillée se retourna et tomba nez à nez avec Andréanne. Une fois de plus, mon amie prenait ma défense, avec son petit air de défi qui me plaisait tant !

– Six contre deux ! Pffff ! Vous êtes des hommes, des vrais ! continua-t-elle avec sarcasme.

Malgré l'affront, Chevelure-Incandescente ne roux-spéta point. Il se mit même à roux-gir. Apparemment, il ne s'attendait pas à une telle réplique de la part d'une fille. Pour ne pas perdre la face, il me lança sur un ton menaçant :

– T'es vraiment chanceux que je sois galant avec les demoiselles. Mais on va se revoir, tu peux en être sûr !

Il dégagea sur-le-champ avec sa bande. J'avais trouvé son point faible : les filles. Par contre, un autre problème venait de me tomber dessus : Andréanne... que j'évitais depuis la rentrée. Je ne savais vraiment pas quoi lui dire. Surtout qu'elle était avec ce satané Lebeau-Dubois, lequel me regardait avec un sourire angélique. Maudit qu'il avait l'air innocent !

– Pourquoi tu te laisses faire, P.-A. ? me demanda-t-elle, la voix remplie d'affection.

Depuis le début de l'année, chaque fois qu'elle me parlait, elle était toujours aussi gentille, aussi aimable. Comme si rien n'avait changé entre nous.

– Pas à cause de la rencontre des parents, j'espère ? s'enquit-elle, visant juste. En tout cas, c'est pas une raison pour se laisser marcher sur les pieds.

– Je suis parfaitement d'accord, acquiesça Lebeau-Dubois. Dans la vie, il faut pas se laisser intimider parce qu'on est différent.

Contente de voir que son amoureux était du même avis, Andréanne lui fit son plus beau sourire. C'était tellement mignon que ça levait le cœur… Il fallait que je sorte d'ici.

– On se voit moins souvent cette année, P.-A., remarqua-t-elle ensuite. Qu'est-ce qui va pas ?

Son regard inquiet me faisait fondre de l'intérieur. Une vraie brique de beurre oubliée dans un micro-ondes à puissance maximale…

Ça suffit ! Un peu de tonus, bon sang ! Où était passée ma dignité ? Qu'elle sorte avec quelqu'un d'autre, d'accord. Mais qu'elle fasse comme si de rien n'était avec moi pendant ce temps-là, ça non ! Voici ce qu'elle ne comprenait pas : être seulement mon amie, alors que, moi, j'étais toujours en amour avec elle, c'était bien pire que de ne plus jamais la revoir…

Je décidai donc d'exprimer clairement ce que je pensais de tout ça :

– Euh… je crois qu'on va être en retard pour le cours de monsieur Lavallée.

(Ici, ce serait le bon moment pour crier « *FAIL* » tous en chœur…)

De toute évidence, j'avais du chemin à faire avant d'avouer à Andréanne ce que je ressentais pour elle. Et encore plus avant de dire ce que je pensais de Lebeau-Dubois. Bref, je n'étais pas sorti du bois.

« Te-tom-tom… tsi[2] ! »

On arriva à la hauteur de notre classe. Avant d'en franchir le seuil, Jo m'annonça avec regret :

– J'ai oublié mon oreiller…

– Moi aussi.

Le cours de monsieur Lavallée était le moment parfait pour ronfler. Avec lui, ce n'était pas seulement quelques tranches de vie ici et là, c'était le pain au complet. Notre prof d'histoire avait un jour cessé de présenter l'histoire avec un grand « H » et, maintenant, il nous racontait celle avec un petit « h », la sienne. Laquelle était particulièrement ennuyante… Et cette année, pour notre plus grand malheur, il nous enseignait aussi la géographie.

– VEUILLEZ PRENDRE PLACE !!!

Le voilà qui faisait son entrée. Court sur pattes, colérique, le corps en forme de poire, avec les cheveux collés sur le crâne pour tenter

2. Solo de batterie (accompagnement sonore pour blague facile…).

de cacher sa calvitie, il ressemblait à un autre personnage marquant de l'histoire : Hitler. Il ne lui manquait que la petite moustache. Tout comme lui, monsieur Lavallée ne parlait pas, il aboyait.

– Allez à la page quarante-deux de votre manuel, ordonna-t-il d'une voix qui aurait pu déboulonner un tank.

Tandis que monsieur Lavallée jappait un de ses périples dans les Prairies canadiennes – sujet aussi plat que le lieu –, je décidai qu'il était plus intéressant de fixer le plafond.

Et c'est là…

(Arrêtez la musique, prenez une grande inspiration.)

… que je vis ce qui allait complètement changer ce début d'année plutôt morne.

À première vue, il n'y avait pas grand-chose de spécial, je l'avoue. Pour être franc, il aurait été difficile de penser que ça pouvait déclencher autant de mésaventures et de rebondissements... Pourtant, c'était bel et bien le cas.

Collée au plafond, il y avait une enveloppe.

Une lettre.

II

Qu'est-ce que cette enveloppe pouvait bien faire là ? Sans que je sache pourquoi, une petite voix intérieure me disait de m'en méfier. En effet, une lettre n'annonce pas toujours de bonnes nouvelles…

– La Saskatchewan est aussi appelée le « grenier à blé » du Canada, aboyait le sosie d'Hitler. Le saviez-vous ?

Personne n'avait l'air de vouloir répondre « Ja, mein general[3] ». Ça voulait dire que l'ennui allait bientôt gagner mes camarades de classe et qu'eux aussi apercevraient cette enveloppe intrigante.

– … on y retrouve le cratère de Carswell, poursuivit monsieur Lavallée, le plus grand

---

3. « Oui, mon général », en allemand.

de la province, avec trente-cinq kilomètres de diamètre.

Comment pouvait-il parler d'un sujet aussi creux avec autant d'aplomb ?

– Passionnant, n'est-ce pas ? ajouta-t-il, sans vraiment attendre une réponse.

– Mets-en ! s'exclama un élève à ma gauche.

Toutes les têtes se retournèrent, stupéfiées. Qui avait osé répondre ainsi ? Surtout à monsieur Lavallée ! Surpris, je découvris qu'il s'agissait de Marco Lepsie, un élève qui, d'habitude, dormait tout le temps. Cette fois, il était bel et bien réveillé, et se tenait le corps droit, la pupille dilatée, la bouche béante.

Bizarre…

Monsieur Lavallée l'observa un instant, déconcerté. Comment devait-il réagir ? Le punir ? Étant donné que Marco n'ajouta rien, notre prof de géo décida d'ignorer ce regain de vie étonnant, et poursuivit :

– Son bassin sédimentaire date de la période historique communément appelée le Phanérozoïque…

Ce que j'avais prédit se réalisa : un élève aperçut l'enveloppe au plafond. Il donna un coup de coude à son voisin. Ce ne serait pas très long avant que tout le monde soit au courant.

– Le Phanérozoïque fait partie du Cambrien…

Un autre élève dans la deuxième rangée vit la lettre. Il la pointa également du doigt.

– … une ère qui remonte à la formation de la Terre…

Jo l'avait remarquée. Même chose pour Andréanne et ce détestable Lebeau-Dubois. C'était maintenant le festival du « psssitt ! » et du coup de coude.

– … il y a de cela plus de quatre milliards d'années.

N'ayant pas réussi à nous assommer avec le poids de toutes ces années, notre prof s'interrompit. Cette agitation peu commune le déconcertait.

– Que se passe-t-il ? Je vous sens distraits !

Les élèves se redressèrent sur leur chaise, au garde-à-vous. Ils se tournèrent tous vers Marc-Luc Favreau-Durand, le clown de l'école. Le seul qui pouvait nous faire sortir de cette situation avec une bonne blague, sans craindre d'être mené au peloton d'exécution. Content de l'attention, ce dernier esquissa une réponse, sans mentionner l'enveloppe :

– C'est parce que c'est la première période, on est encore endormis.

La période de la journée : toujours une excuse qui fonctionnait ! À la première, on dort ; à la deuxième, on a faim ; à la troisième, on digère ; et à la quatrième… euh… c'est la dernière, voilà tout. C'est une raison valable, non ?

– Eh bien ! Réveillez-vous ! rétorqua monsieur Lavallée.

Ne voulant pas mettre fin à son heure de gloire, Favreau-Durand continua sur sa lancée :

– Excusez-moi de vous demander ça, monsieur Lavallée, mais à quoi ça va nous servir de savoir tout ça, dans la v**i**e ?

Sa voix mua étrangement sur la dernière syllabe. Le « i » sortit super aigu. Ce qui ne manqua pas de faire rigoler toute la classe. Pour sa part, notre prof de géo ne trouva pas ça drôle. Mais alors, pas du tout.

– COMMENT VOULEZ-VOUS OBTENIR UN EMPLOI BIEN RÉMUNÉRÉ SANS AVOIR VOTRE DIPLÔME ? beugla le sosie d'Hitler avec une *Führer* exceptionnelle.

Favreau-Durand allait répondre à nouveau, mais monsieur Lavallée lui coupa la parole :

– Au lieu de contester le caractère essentiel de vos apprentissages, allez plutôt chercher cette enveloppe qui perturbe tant mon cours.

Zut ! Notre prof venait de remarquer la source de notre intérêt. À son ordre, Marc-Luc grimpa sur son bureau, mais il n'arrivait pas à l'atteindre.

– Prenez ceci.

Monsieur Lavallée lui tendit sa longue règle en bois, cet objet de malheur qui s'abattait sur nos bureaux comme la foudre (lorsqu'il était d'une humeur orageuse). Même avec celle-ci, Favreau-Durand ne parvenait pas à décoller la lettre du plafond.

– Qu'attendez-vous, bon sang ? s'impatienta notre prof.

Irrité, le clown de l'école prit son élan, donna un grand coup de poignet et réussit à détacher l'enveloppe. Elle virevolta quelques instants dans les airs, flottant de gauche à droite, puis finit par se diriger tout droit vers… une fenêtre entrouverte !

– Hiiiiiiiiiiiiiiiiiiiiiiiiiiiiiiiiii ! s'exclamèrent en chœur les élèves.

Personne n'arrivait à faire mieux – comme s'élancer pour l'attraper, par exemple. Même Favreau-Durand restait planté là, debout sur son bureau, l'air niais. Il fallait agir, sinon on allait la perdre ! Héroïquement, je me précipitai vers ces écrits qui, telles des paroles en l'air, tentaient de s'envoler. Tout semblait paralysé. Tout, sauf la lettre et moi. Comme si la Terre avait cessé de tourner. Je la voyais, avançant lentement, mais inexorablement, vers sa liberté. Non ! Non ! Nooooon !

Renversant Morand-Voyer – ce qui provoqua bien entendu un hoquet louche –, je m'élançai... et l'attrapai !! J'avais le haut du corps sorti à l'extérieur de la fenêtre, mais nul doute possible : je la tenais entre mes mains ! Ne croyant pas en ma chance, je rentrai avec prudence dans la classe, aidé par d'autres élèves qui m'agrippaient le fond de culotte. Un tonnerre d'acclamations et d'applaudissements retentit quand la lettre fut de retour en lieu sûr.

– Lis-la ! Lis-la ! Lis-la ! scandèrent les élèves, espérant un contenu des plus croustillants.

Monsieur Lavallée était complètement exaspéré du chahut qui régnait dans sa classe :

– Donnez-moi cette enveloppe, commanda-t-il.

Je ne l'entendis pas. À l'extérieur, une étrange vision venait d'attirer mon attention : Francis Lebœuf-Haché, dans le stationnement des visiteurs. Par la fenêtre, je pouvais l'apercevoir, debout à côté d'un Hummer rouge aux vitres teintées. Que faisait-il là ? Quelque chose d'important était en train de se produire, j'en étais .sûr. Pour ajouter au mystère, la fenêtre du conducteur s'abaissa et une main en sortit pour tendre un paquet à Lebœuf-Haché. Celui-ci, après avoir jeté quelques regards suspects autour de lui, s'en empara. Une seconde plus tard, il s'éloigna du véhicule au pas de course et se dirigea vers les buissons entourant l'école (d'où l'expression « école buissonnière »...).

– MONSIEUR GRAVEL-LAROCHE !

Je sortis automatiquement de ma torpeur.

– Oui ? fis-je d'une toute petite voix.

– L'E.N.V.E.L.O.P.P.E. !

– Oups... euh, la voilà. Excusez-moi, bafouillai-je en la lui tendant.

Sans insister davantage, je m'enfuis à ma place.

– Bien ! Une bonne chose de réglée, conclut monsieur Lavallée avec satisfaction.

Il écrasa la lettre dans ses mains, pour en faire une toute petite boule.

– Onnnnnnhhhhhhhhhhhh…

Une vague de déception déferla sur la classe. Un vrai tsunami de désenchantement. Mais juste avant qu'il la jette à la poubelle, quelque chose le retint : lui-même semblait intrigué par son contenu.

– Vous aimeriez que je la lise ? demanda-t-il, hésitant à nous faire « plaisir » (mot exclu de son vocabulaire).

– OUIIIIII ! s'écrièrent les élèves.

Juste avant d'en dévoiler le contenu, il prit une grande respiration théâtrale. De toute sa carrière, monsieur Lavallée n'avait jamais eu un auditoire aussi attentif. Nous étions suspendus à ses lèvres. Silence absolu. Après un moment qui me parut interminable, il entama sa lecture :

Mon cher Marc-Luc Favreau-Durand,

Comme tous tes compatriotes, tu as un secret.

Depuis toujours, tu te demandes pourquoi tu ne ressembles pas à ton père. Question légitime, s'il en est une...

Et devant tes interrogations, ta mère te répond par cette fameuse boutade : " Tu dois tenir ça du laitier. " Farce que tu as toujours détestée, toi qui aimes pourtant bien rigoler...

Eh bien, sache que tu avais raison de la questionner... Remplace le laitier par un proche ami de tes parents et le mystère s'éclaircira.

Eh oui ! Ton vrai père n'est pas vraiment celui que tu crois...

Bonne journée !

La Fouine

La « Fouine » !? Le laitier ? Le vrai père de Favreau-Durand !? Je ne comprenais plus rien. Et je n'étais pas le seul ! Tout le monde avait un gros point d'interrogation dans le visage, même monsieur Lavallée.

Les têtes se tournèrent alors vers le clown de l'école. Il voulut dire quelque chose, pourtant aucun son ne sortit de sa bouche. C'en était trop pour lui. Ce coup-ci, il était réellement le clou du spectacle (celui qu'on enfonce devant tout le monde...). Voulant garder un semblant de dignité, il plongea la tête dans le creux de son bras pour essayer de masquer ses pleurs, mais les soubresauts de son corps le trahirent. Les autres élèves se regardèrent, estomaqués. Il ne pensait jamais voir Favreau-Durand pleurer !

– Qu'est-ce que ça signifie ? chuchotai-je à Jo.

Il haussa les épaules.

– Je me demande bien qui peut lui en vouloir autant...

– Aucune idée, répondis-je, consterné.

Soudain, comme si la situation n'était pas déjà assez dramatique, l'alarme d'incendie se déclencha dans l'école.

III

Ddddrrrrrrrrrrrrrrrrriiiiiiiiiiiiiiiiiiiiiiiiiinnnnnnngggggg...

L'alarme s'en donnait à cœur joie.

Monsieur Lavallée s'empara d'une feuille sur le coin de son bureau et nous donna ses instructions. Avec ce bruit infernal, on ne comprenait pas la moitié de ce qu'il disait.

– MET[...]-VOUS EN RANG DER[...] LA PORTE. ENS[...], TOUT LE MONDE SE DIR[...] EN FI[...] INDIENNE JUSQUE [...] LE STATIONNEMENT. N'OUBLIEZ [...] PAS D'UTILISER [...]SCALIER QUI [...] SUR VOTRE DROITE, C'EST LE [...] PRÈS.

...dddrrrrrrrrrrrrrrrrriiiiiiiiiiiiiiiiiiiiiiiiiinnnnnnngggggg...

Les élèves obéirent, sans aucune panique. Notre calme s'expliquait facilement : il s'agissait d'un exercice. J'étais prêt à mettre ma main au feu. Si j'en étais si sûr, ce n'était pas parce que monsieur Lavallée avait la feuille d'évacuation sur son bureau au tout début du cours. Ou parce que c'était toujours au même moment de l'année – en octobre, avant que le froid n'empêche les profs de sortir de l'école sans manteau. Ou parce que les camions de pompiers étaient visibles par les fenêtres de la classe depuis dix bonnes minutes déjà. Non, si je le savais, c'est parce que Kevin Legrand-Brûlé, le pyromane de l'école, était en classe avec nous. Il ne pouvait donc pas avoir allumé un incendie. Élémentaire, mon cher Watson.

…**dddrrrrrrrrrrrrrrrrriiiiiiiiiiiiiiiiiiiiiiiiiiiiiinnnnnnngggggg**…

Tout le monde se dirigea vers l'escalier recommandé. Andréanne en profita pour se laisser dépasser par quelques personnes et ainsi se retrouver à ma hauteur. Elle se pencha à mon oreille :

– Qu'est-[…] que tu […] penses ?

Elle était si près… Même sans réel incendie, je brûlais de l'intérieur.

…**dddrrrrrrrrrrrrrrrrriiiiiiiiiiiiiiiiiiiiiiiiiiiiiinnnnnnngggggg**…

Ne voulant pas qu'elle s'aperçoive de mon embarras, je me rabattis sur l'ambiance sonore, seule excuse qui me vint à l'esprit :

– ATT[...], J'ENT[...] RIEN !

Elle n'y vit que du feu : elle accepta d'attendre qu'on soit à l'extérieur pour poursuivre la conversation et reprit sa place dans le rang.

Sans se douter une seule seconde de ce qui nous attendait dehors...

– Dépliez l'échelle ! ordonna un pompier, l'air paniqué.

– Oh *my God* !!! s'écria Marie-Pierre Larose-Deschamps en voyant le spectacle qui s'offrait à nous.

Complètement hystérique, M.-P. pointait quelque chose dans les airs. Pourquoi mon ex-flamme hurlait-elle ainsi ? Plissant les yeux, je regardai dans la même direction... et compris à mon tour. Il y avait quelqu'un sur le toit : Carl Jetté-Dupont, un élève reconnu pour ses idées noires. D'ailleurs, il s'approchait dangereusement du bord, comme s'il voulait se jeter dans le vide.

– Ne faites pas un pas de plus ! lui cria un des pompiers, tandis que ses collègues préparaient un coussin de sauvetage.

C'était vraiment le chaos total. Jamais je n'aurais cru voir ça. Tous les élèves s'attroupaient autour des pompiers, voulant être dans le feu de l'action.

– Approchez pas ou je saute ! hurla Jetté-Dupont d'une voix désespérée.

– Qu'est-ce qu'on fait ? me demanda Jo. Il va se jeter en bas ! On peut pas rester là à rien faire !

Mon ami avait raison : il fallait réagir. Mais comment ? En temps normal, mieux valait laisser faire les experts. Sauf que ceux-ci semblaient dépassés par les événements. Un coup de pouce ne pouvait pas leur nuire. En plus, Andréanne se dirigeait vers moi avec ce fichu Lebeau-Dubois ! Si je ne voulais pas assister à leurs embrassades, il fallait décoller.

– OK ! Allons-y ! me décidai-je enfin.

En douce, on se détacha de la foule pour retourner dans l'école, espérant ne pas être vus.

À l'intérieur, nos oreilles constatèrent avec joie que l'alarme s'était tue.

– Tiens ! Tiens ! Qui va là ?

Zut ! Devant moi se tenait Touffe-de-Carotte, particulièrement heureux d'avoir trouvé quelqu'un à terroriser. Que faisaient-ils dans l'école, lui et sa bande ? J'en avais marre de cette roux-tine. Pourquoi n'était-il pas quelque part en train de roux-piller, tout simplement ? Sans perdre une seconde, il m'empoigna par le collet.

– Qu'est-ce que tu fais ici, le p'tit bollé ? me demanda-t-il avec son haleine puante de bouche d'égout. Être dans l'école pendant un exercice d'incendie, c'est pas très sage.

C'était décidé : il venait de me balancer sa dernière imbécillité. Pointant ses cheveux, je lui répondis :

– Un exercice ? On dirait pourtant qu'il y a vraiment le feu par ici !

– QU'EST-CE QUE T'AS DIT ? vociféra mon ennemi, surpris que je lui tienne tête.

Furieux, il me projeta sur le plancher, qui aurait mérité un petit coup de balai (car tout le monde le sait, Pierre-Antoine qui roule amasse la mousse…).

– Ça va, P.-A. ? me questionna Jo.

Il me releva tel un entraîneur de boxe attentionné.

– Oui, oui, répondis-je en me relevant les manches.

Jo devait me laisser faire. C'était à moi de régler cette histoire.

– Amène-toi, minable ! ajouta Panache-Orangé avec un signe de la main.

Je pris mon air le plus féroce. Un peu plus et je me mettais à grogner. Menaçant, j'avançai d'un pas. Tout à coup, Toupet-Rougeâtre ouvrit très grand les yeux, l'air apeuré.

– Oh oh !

Ce furent les seules paroles qui traversèrent ses lèvres tremblotantes. Toute sa bande était aussi effrayée que lui. Il leur fit un signe de tête et ils décampèrent.

– Eh bien ! m'enorgueillis-je. Je pensais pas que je pouvais être aussi crédible !

– Sans vouloir péter ta bulle, P.-A., c'est monsieur Lavallée qui les a fait fuir.

– Quoi !?

Me retournant, je vis qu'il avait raison. Notre prof de géo et histoire se dirigeait vers nous à grands pas. Avec un air particulièrement mécontent !

– Vite ! À l'étage !

– C'est quoi le plan ? s'enquit Jo en courant, tout essoufflé.

– Pour être franc, avouai-je, il n'y en a pas vraiment…

Le deuxième étage était vide. J'espérais qu'on ne tombe pas en plus sur Monsieur Net et ses gros biceps.

– Comment Carl a-t-il fait pour monter sur le toit ? s'interrogea Jo.

– Il doit bien y avoir une trappe quelque part.

On se mit à examiner le plafond. Je partis vers la droite ; Jo, vers la gauche.

– Pssssttttt ! Viens voir ça, me dit Jo après une minute de recherche.

Je le rejoignis rapidement.

– Regarde ! Ici, il n'y a pas de tuiles : on dirait une grosse plaque en métal.

– Jo, t'es le meilleur !

– Ça nous prendrait un escabeau.

– Pas le temps ! Fais-moi la courte échelle !

Sans perdre une seconde, mon ami joignit ses deux mains pour accueillir mon pied.

– Vas-y !

Il me souleva. Je poussai de toutes mes forces sur la plaque métallique, mais elle était trop lourde. Je n'arrivais pas à la soulever d'un poil.

– Dépêche ! me conseilla Jo. Il rapplique avec des renforts !

Au bout du couloir, monsieur Lavallée venait d'apparaître en compagnie de Monsieur Net ! On était vraiment dans le trouble ! C'était notre dernière chance. Je fournis un effort ultime… et la plaque bougea un peu. J'approchais du but. Je pris mon élan à nouveau et réussis à la pousser pour qu'elle s'ouvre complètement.

La voie était libre.

– Lève-moi !

Au moment où les deux hommes nous rejoignirent, Jo me souleva et je parvins à me hisser sur le bord de l'ouverture. On avait réussi ! Avant de disparaître sur le toit, je ne pus m'empêcher de me tourner vers le sosie du *Terminator*, et de lui lancer :

– *Hasta la vista, baby !*

La scène qui m'attendait était complètement surréaliste. Sur le bord de la toiture, Jetté-Dupont criait toujours à qui voulait bien l'entendre qu'il avait l'intention de sauter. On se serait cru dans un film d'action, quand un suicidaire veut se jeter en bas d'un immeuble et que c'est la panique. Il ne manquait que Bruce Willis… Mais il n'était pas en vue. Il n'y avait que moi. Pourrais-je assumer ce rôle ? À trente mètres dans les airs, je n'étais plus sûr d'être à la hauteur de la situation…

– Carl ? l'interpellai-je avec douceur.

Il se retourna brusquement, semblant d'une nervosité extrême. Tout son corps tressautait.

– Qu'est-ce que tu fais ici ? Va-t'en !

Tout de suite, je compris qu'il était prêt à tout. Ses menaces n'étaient pas du vent. Pourquoi vouloir s'enlever la vie ? Il avait beau se teindre les cheveux en noir, avoir le teint blafard et être le gars le plus pessimiste que je connaisse, je n'aurais jamais pensé qu'il en arriverait là. D'ordinaire, il était calme, serein et un brin mélancolique. S'il avait songé sérieusement à quitter notre monde, je crois qu'il l'aurait fait avec plus de discrétion.

– Je suis venu pour t'aider, déclarai-je.

C'était une réponse banale, je sais, mais c'était la vérité. Je ne voulais pas qu'il saute. Avec une certaine compassion, je poursuivis :

– Je te comprends, Carl. Moi aussi, je sais ce que c'est d'être rejeté des autres quand on est différent.

– Non, tu comprends pas, me répondit-il d'un ton fiévreux. Tu peux pas comprendre…

– Il y a des gens qui sont là pour toi, continuai-je, me faisant rassurant.

– Grimpez à bord ! s'exclama une voix sortie de nulle part.

Une nacelle venait d'arriver à notre hauteur. Un jeune pompier, qui avait dû commencer sa carrière au bas de l'échelle, s'y tenait. Il nous faisait signe de le rejoindre. La nervosité de Jetté-Dupont ne fit qu'augmenter. Pris entre deux feux, il était extrêmement agité. Ses yeux avaient un air dément. Quelque chose d'anormal s'était produit en lui, ça se voyait.

– Qu'est-ce qui va pas, Carl ? le questionnai-je, en essayant de réduire la distance qui nous séparait sans trop le brusquer. Tu peux me le dire.

– C'est pas de tes affaires ! riposta-t-il.

Faisant dos au gouffre, il recula un talon dans le vide. Une clameur angoissée monta de la foule au sol. C'est à ce moment-là que j'aperçus la feuille qui dépassait de sa poche. Semblable à la lettre qui avait été adressée à Favreau-Durand. La Fouine avait-elle fait une autre victime ?

– Est-ce que c'est à cause de la lettre que je vois dans ta poche ? demandai-je.

Complètement paniqué, il la sortit.

– Tu sais pas de quoi tu parles ! répondit-il en l'agitant, de plus en plus délirant.

Je fis un pas de plus.

– N'avance plus ! m'ordonna-t-il.

Il regardait la feuille d'un air traumatisé. Son corps oscillait dangereusement au-dessus du précipice. Puis il eut un haut-le-cœur et tourna de l'œil. Il perdait conscience ! Ses jambes lâchèrent, tout son corps s'affaissa.

– Oooooooooohhhhhhhhh ! s'exclamèrent les spectateurs en bas.

Par miracle, je l'agrippai par un bras avant qu'il se précipite dans l'abîme. Son menton heurta le bord de la toiture. Il était complètement sonné et la majeure partie de son corps se balançait dans le vide. J'étais seul pour le retenir ! Il était trop lourd… Peu à peu, je glissais sur le gravier qui recouvrait le toit. Ma main était sur le point de passer de son avant-bras à son poignet. Je le perdais.

D'un instant à l'autre, j'allais le lâcher. Mais qu'attendait le pompier dans sa nacelle pour nous rejoindre ?

C'est alors que monsieur Lavallée apparut derrière moi. Son œil droit tuméfié m'indiquait qu'il n'avait pas eu autant de facilité que moi à monter sur le toit… Mon prof attrapa le deuxième bras de Jetté-Dupont et, ensemble, on le hissa complètement sur le toit.

– Aaaaaaaaaaaahhhhhh ! s'extasia la foule, satisfaite.

Pour une fois, j'étais content de voir mon prof !

– Merci, monsieur Lavallée ! Sans vous, je l'échappais, c'est sûr !

– Aidez-moi à le porter jusque dans l'école, me dit-il d'une voix autoritaire, comme s'il me tenait responsable de la situation.

Obéissant à son ordre, je tentai en même temps de récupérer subtilement la lettre de Jetté-Dupont. Il fallait que je la lise. Je ne comprenais pas ce qui avait provoqué une réaction aussi extrême chez lui. Je glissai ma main dans la poche de son pantalon. Mais en vain…

La lettre avait disparu.

IV

– Voici le jeune homme qui a agi avec une telle imprudence, annonça monsieur Lavallée à son supérieur.

J'étais dans le bureau de la direction. Et vous savez quoi ? Je me concentrais pour ne pas rire.

– Merci beaucoup, répondit le directeur. J'apprécie beaucoup la façon dont vous avez réagi dans ce dossier.

Voyons ! Retiens-toi, P.A. ! Tu ne peux pas te bidonner maintenant, la situation est bien assez critique !

– Si vous avez besoin de quoi que ce soit, termina mon prof, je suis là.

Le directeur hocha la tête, satisfait. Lorsque monsieur Lavallée quitta la pièce, je laissai échapper un petit gloussement hilare.

– Qu'est-ce qu'il y a de si drôle, monsieur Gravel-Laroche ?

Je n'arrivais pas à garder mon sérieux, mais comment faire autrement ? La personne qui se tenait devant moi n'était nulle autre que… monsieur Lachance ! Eh oui ! À la suite de ses exploits de l'an dernier, il avait obtenu cette promotion méritée. Après tout, il avait dévoilé au grand jour le projet démentiel de monsieur Lugosi. Mais comment ne pas rire en voyant mon ex-prof de français se donner une allure sérieuse avec son complet sombre, sa moustache bien lissée et sa chevelure ramenée vers l'arrière avec trois tonnes de gel ? Trop crampant !

– Rien du tout, monsieur le *directeur*, assurai-je en lui faisant un clin d'œil.

Mon ancien allié me regarda sévèrement. Décidément, il n'avait pas le cœur à la blague.

– Ce que vous avez fait, monsieur Gravel-Laroche, est inacceptable.

D'où venait ce ton détaché ? Ce vouvoiement ? Je ne comprenais pas. Maintenant qu'on était seuls, il n'était pas obligé d'être aussi formel. On était amis, non ?

– Dans de telles circonstances, il faut laisser les autorités compétentes faire leur travail.

Pfff… Autorités compétentes, mon œil ! Jetté-Dupont serait peut-être mort à l'heure qu'il est si je n'avais pas agi de façon « inacceptable » !

– Je voulais seulement aider, protestai-je.

Cet entretien me surprenait de plus en plus. C'était tout juste s'il ne m'accusait pas de nuisance publique.

– Nous n'avons pas besoin de votre aide, ajouta-t-il d'une voix neutre. Nous pouvons très bien nous débrouiller sans vous.

Bizarre… Il semblait s'adresser à moi pour la première fois de sa vie. Piqué au vif par sa dernière phrase, je ne pus me retenir :

– C'est pas l'impression que j'ai eue !

– SUFFIT ! Laissez votre vanité de côté. Et comprenez bien ce que vous êtes : un simple élève. À l'avenir, tâchez de vous en souvenir et agissez en conséquence.

J'étais sidéré. Monsieur Lachance était devenu pire que monsieur Lugosi ! On lui avait lavé le cerveau ou quoi ? On l'avait remplacé par un clone sans que personne s'en aperçoive ? Cette chose qui me faisait face ne pouvait être qu'un androïde. Je ne voyais pas d'autre explication logique...

– Maintenant, n'oubliez pas d'aller vous excuser auprès de monsieur Lavallée.

Des excuses, en plus !

– Pour ce faire, je veux que vous lui écriviez une lettre de pardon. Cinq cents mots, minimum.

Une lettre... ! Encore !? Franchement, ces petits bouts de papier commençaient à prendre un peu trop de place dans ma vie.

– Et je ne veux plus entendre parler de ce qui s'est passé aujourd'hui, exigea-t-il. Surtout pas ce soir lors de la rencontre des parents. Est-ce bien clair ?

– Oui, monsieur le directeur…

Je ne trouvai rien de mieux à répondre. Son comportement était tellement anormal que j'en restais bouche bée.

– Maintenant, retournez en classe, me somma monsieur Lachance. Je n'ai plus de temps à perdre avec un dossier aussi futile que le vôtre.

Je quittai la pièce, confus. Comment en était-il arrivé là ? Le pouvoir transformait-il les gens aussi vite ?

Ou alors, était-il possible que son attitude me cache autre chose ?

À la sortie de son bureau, une nouvelle surprise m'attendait : Andréanne, assise devant la porte. En m'apercevant, son visage s'emplit d'inquiétude. Son doux visage… Vous ai-je mentionné que, depuis qu'elle sort avec Lebeau-Dubois, elle se détache les cheveux et se maquille légèrement les yeux ? Qu'elle n'a plus de broches ? Non ? Eh bien, c'est avec ce nouveau look qu'elle m'attendait…

– Qu'est-ce que tu fais là ? la questionnai-je, surpris.

– Ils m'ont permis de t'attendre.

Elle était… seule !? Où était passé son grand blond insignifiant ?

– Comment ça s'est passé dans le bureau de monsieur Lachance ? demanda-t-elle.

– Laisse faire…, répliquai-je un peu trop sèchement.

J'étais vraiment heureux de la voir. Pour vrai. Mais sa présence paralysait les neurones de mon cerveau qui devaient se charger des « réponses adéquates et polies ». Par chance, elle ne releva pas mon attitude désagréable. Fidèle à elle-même, elle ramena la conversation à l'essentiel : les événements mystérieux qui avaient rempli notre matinée.

– Qu'est-ce que Carl faisait sur le toit ?

Mon instinct me disait que les étranges lettres étaient derrière tout ça.

– Peut-être que ça aurait un rapport avec la Fouine, avançai-je.

– La Fouine ? Tu veux dire la personne qui a écrit le mot à Favreau-Durand ?

Sentant que nos confidences nécessitaient le chuchotement, elle se leva et s'approcha de moi. Un peu trop, d'ailleurs…

– J'ai aperçu une feuille tomber du toit juste avant que Jetté-Dupont perde conscience, me dit-elle à voix basse.

– Quoi !? m'exclamai-je. T'as vu la lettre !? Tu l'as attrapée ?

Elle se rapprocha. Encore. Vraiment très près. Quelques centimètres de plus et je pouvais la prendre dans mes bras.

– Non, répondit-elle. Je l'ai vue tomber, puis je l'ai cherchée partout dans la foule, mais je ne l'ai pas trouvée.

Maintenant, je n'avais qu'à me pencher pour que nos lèvres se touchent. Qu'est-ce que j'attendais ?

– T'aurais pas vu où se trouvait Francis à ce moment-là, par hasard ? réussis-je à articuler, enivré par son parfum.

– Lebœuf-Haché ? Non, pourquoi ? Il a un lien avec les lettres ?

Je le revoyais à la fenêtre du Hummer rouge avec son mystérieux colis.

– Peut-être…

– Qu'est-ce qui te fait penser ça ? demanda-t-elle en se rapprochant encore (était-ce physiquement possible ?).

Incroyable ! Il y avait de l'amour dans l'air (de l'oxygène aussi, heureusement), c'était indéniable ! Dans quelques secondes, on allait s'embrasser. Jamais je n'aurais cru que cet instant magique puisse être à ma portée.

Je fermai les yeux.

– Hey, là-bas ! Qu'est-ce que vous faites ?

Oh non ! Monsieur Net ! C'était maintenant ou jamais ! Les yeux clos, je me penchai pour que mes lèvres rejoignent leur destinée. Mais…

elles ne rencontrèrent que du vide. Où était passée Andréanne ? Quand je rassemblai assez de courage pour soulever mes paupières, je vis qu'elle s'était reculée, gênée.

– Viens, P.-A., conclut-elle, les joues empourprées. C'est l'heure de retourner en classe…

Notre cours de mathématiques était donné par un second monsieur Lavallée, le frère de l'autre. Cette année, c'était vraiment la vallée des Lavallée ! Au moins, celui-ci, même s'il insistait pour qu'on l'appelle monsieur Réjean, avait du charme. Notre prof ressemblait tellement à une vedette hollywoodienne que les filles s'intéressaient désormais à l'algèbre. Espérant peut-être réussir à additionner un chromosome X avec un chromosome Y…

D'ordinaire, l'ambiance de la classe était hyper silencieuse. Mais quand Andréanne et moi y fîmes notre entrée, l'atmosphère était carrément survoltée. Comme si nos chaises avaient été électrifiées par un enseignant dément voulant nous tenir éveillés.

–[*] ! s'exclama un élève avec grossièreté.

Monsieur Réjean prit son air le plus offensé (performance méritant un Oscar) et s'indigna :

– Monsieur Bessette ! Surveillez votre…

– Bingo ! s'écria Favreau-Durand en lui coupant la parole.

C'était le désordre le plus complet. Dans un coin, le clown de l'école était complètement hilare. En partie parce qu'il avait fait sa blague favorite avec le nom de Simon « B-7 ». Mais aussi parce qu'il avait complètement perdu la carte en apprenant que son père n'était pas le sien.

–[**] ! lança Simon Bessette à nouveau, visiblement heureux de nommer tous les objets sacrés que pouvait contenir une église.

* Passage censuré (je n'ai tout de même pas envie que mon livre soit classé 18 ans et plus !)

** Censuré. Encore.

Que se passait-il ? Pourquoi ce langage ordurier ? Habituellement, Simon n'était pas du genre à attirer l'attention. Ça aurait plutôt été celui de Nathan Pépin-Majeur, un élève pour qui un problème n'attend pas l'autre…

– Dernier avertissement ! cria monsieur Réjean. Est-ce bien compris, monsieur Bessette ?

– Bingo !

– SILENCE !!! Le prochain qui parle, je l'expulse, ajouta-t-il, le visage scandalisé (prix potentiel pour cette performance : Golden Globes du meilleur acteur).

Il y eut un court moment de répit. Très court. Simon Bessette se mit ensuite debout sur sa chaise et déclara d'un air solennel :

– *** !

*** Censuré.
(Bon, je crois que vous avez compris le principe…)

Il semblait incapable de se retenir. De sa bouche émanaient les pires vidanges verbales. Un vrai dépotoir à jurons.

– Descendez de cette chaise ! ordonna monsieur Réjean. Tout de suite !

– !

– Bon, vous l'aurez voulu. Vous êtes renvoyé de ma classe, monsieur Bessette.

– Bing…, commença Favreau-Durand.

– Et vous, monsieur le comique, vous êtes le prochain sur la liste. Me suis-je bien fait comprendre ?

Le clown de l'école se tut, sentant qu'il était allé trop loin. Simon se dirigea vers la porte, où je me tenais encore avec d'Andréanne. Quand il passa à ma hauteur, je lui chuchotai :

– Qu'est-ce qui va pas, Simon ?

N'obtenant aucune réponse, je pensai à ajouter :

– As-tu reçu une lettre, toi aussi ?

J'eus droit à un dernier , mais sur le ton de la confidence, cette fois. Comme s'il s'agissait d'un grand secret. Que se passait-il donc ? Toute l'école avait perdu la boule ou quoi ?!

– Ahhh ! Monsieur Gravel-Laroche et madame Carrière-Desroches, déclara notre prof de maths, avec son charisme légendaire. Bienvenue parmi nous ! J'espère que votre visite chez le directeur a été moins mouvementée que votre entrée dans cette classe.

Les autres élèves posèrent leur regard sur nous. En raison du sauvetage de Jetté-Dupont, je sentis que j'avais retrouvé leur estime. C'était toujours ça de gagné.

– Prenez place, nous enjoignit monsieur Réjean avec décorum.

On alla donc s'asseoir, sans oser demander ce qui avait déclenché un tel énervement.

– Maintenant que ce petit contretemps est réglé, veuillez ouvrir *Variables* à la page cinquante-sept.

Notre manuel aurait dû s'appeler « Intérêt variable » tellement il était ennuyant. Malgré cela, toute la classe obtempéra en soupirant, sachant très bien qu'on allait refaire la même équation pour la millième fois. Pour toujours et jusqu'à la fin des temps. Amen.

– OH NON ! entendis-je alors, à côté de moi.

M.-P. Qu'avait-elle cette fois ? Elle semblait terriblement angoissée. Je remarquai alors son manuel, où l'attendait un petit cadeau.

La Fouine avait encore frappé !

Elle tenta rapidement de cacher la missive. Trop tard : certains l'avaient aperçue. Dont moi et Favreau-Durand. Celui-ci se leva d'un bond et voulut s'en emparer. Cependant, M.-P. n'avait pas l'intention de lâcher prise. S'ils continuaient à tirer comme ça, la feuille allait se déchirer en deux.

– Quel est le problème cette fois ? demanda monsieur Réjean avec son air le plus dramatique.

Au même moment, Favreau-Durand arracha la lettre des mains de M.-P.

– Donnez-moi ça tout de suite ! exigea notre prof de maths.

Le clown se mit alors à courir dans la classe, poursuivi par mon ancienne déesse. Il jubilait ! Probablement parce qu'il pourrait se venger en dévoilant le secret de quelqu'un d'autre. Il ne serait plus le seul à vivre dans la honte. Entre deux rangées, il réussit à lire ceci :

Très chère Marie-Pierre Larose-Deschamps,

Bien entendu, tu as également un secret.

Alors que tout le monde s'extasie devant ta beauté, personne ne se doute de qui tu es vraiment.

Peu importe que tu affiches actuellement une élégante silhouette, n'oublie jamais le profil qui était le tien à l'école primaire : celui de la petite boulette dodue au tour de taille éléphantesque et au galbe joufflu.

Eh oui ! Tu auras beau essayer de le cacher, tu ne seras toujours rien de plus qu'une ex-petite grosse.

Bonne journée !

La Fouine

Il y eut un moment de silence.

Favreau-Durand semblait se demander s'il avait bien fait de lire la lettre. Après tout, en le faisant, il avait été complice de la Fouine. En quelque sorte. Grâce à lui, elle avait poursuivi son sinistre dessein... Mais qui donc s'acharnait sur nous ainsi ? Et comment la Fouine faisait-elle pour connaître tous nos secrets ?

Atterrée, M.-P. se recroquevilla en boule sur sa chaise. Elle ne supportait pas qu'on sache qu'elle n'avait pas toujours surveillé sa ligne. Ou sa courbe. Ou sa circonférence. (On était dans un cours de maths, non ?)

Une nouvelle question effleura alors mon esprit : allais-je moi aussi être victime de la Fouine ?

Ou, plutôt, *quand* serait-ce mon tour ?

V

– Il faut découvrir la personne qui se cache derrière ces lettres haineuses.

Andréanne prenait la situation en main. Tout redevenait comme avant ! Tout, sauf la présence de Lebeau-Dubois…

– Tu peux compter sur moi, lui assura celui-ci, souriant.

Elle lui retourna son sourire. Hey oh !! Un peu de gêne, s.v.p. Je suis juste devant vous !!!! Et notre baiser manqué de tantôt ? Ça ne signifiait donc rien pour elle ? Je n'avais pas rêvé quand même !? À ce moment précis, j'aurais aimé avoir plus de courage. J'aurais voulu crier : « Non, c'est sur MOI que tu peux compter, Andréanne ! Pas sur cet imbécile qui n'a aucun mérite, à part celui d'être beau ! »

Je n'eus pas le temps d'ajouter quoi que ce soit.

– Elles sont arrivées ! Elles sont arrivées ! cria un élève au bout du corridor.

Cette clameur excitée ne pouvait annoncer qu'une chose : les cartes étudiantes étaient prêtes. C'était loin d'être un processus rapide, mais attendre jusqu'à la mi-octobre pour les recevoir, ça battait tous les records. Les élèves étaient impatients de se voir la tronche. Tout le monde allait pouvoir dire : « J'suis laid, hein ? », et se faire répondre « Ben non, t'es beau ». Comme avec nos dessins du primaire, quand on les montrait à nos parents…

– J'ai l'air d'un tueur en série là-dessus, déclara fièrement Charles-Olivier Manson en brandissant sa carte.

– Cool ! Montre-moi ça ! dit un autre. Moi, j'ai l'air d'avoir huit mentons…

Le brouhaha interrompit notre conversation à propos de la Fouine et on se mit en rang pour recevoir notre carte.

– Pierre-Antoine Gravel-Laroche, annonçai-je à la dame devant moi quand ce fut mon tour.

La secrétaire, qui avait dû être jeune jadis (au début du XIXe siècle, peut-être), me tendit la mienne. C'était bien moi : des lunettes énormes, un bouton gigantesque. En somme, le physique parfait pour faire partie de la catégorie « handicapé facial »…

– Regarde, P.-A. : Alex paraît super bien sur sa photo.

Euh… Andréanne était sérieuse !? Elle me montrait *réellement* la carte de Lebeau-Dubois ? Pour avoir mon approbation, en plus ! Non, mais ça va pas la tête !? Je lui jetai mon regard le plus furieux. Les rayons laser de Superman à côté de ça, ce n'était rien du tout. Je décollai à toute vitesse. Un peu plus, et de la fumée émanait de mes semelles.

– Qu'est-ce qui t'arrive ? s'inquiéta Jo en me voyant passer devant lui à cent milles à l'heure.

– Viens-t'en !

Sans poser de question, il me suivit. Depuis le début de notre amitié, il savait que mon comportement n'était pas toujours rationnel. Surtout quand il s'agissait d'Andréanne. En marchant, Jo eut la bonne idée de changer de sujet :

– Regarde ma carte : elle est bizarre ! D'un certain angle, on dirait que mes yeux sont tout rouges.

Il avait vu juste. Ce n'était pas une banale photo où le flash aurait rougi les yeux. C'était… différent.

– T'en demanderas une nouvelle, rétorquai-je en haussant les épaules.

Ma tête était bien trop occupée avec mes déboires amoureux pour s'attarder sur une carte étudiante ratée. Pourtant, avoir su, j'y aurais accordé beaucoup plus d'importance…

Je me cachai durant toute l'heure du midi entre deux rangées de casiers désertes. Je ne voulais pas approcher de la cafétéria. J'y aurais sûrement croisé Andréanne dans les bras de son amoureux. Ce qui m'aurait été insupportable… J'avais donc confié une mission à Jo : les surveiller. Avant la troisième période, Jo-L'Espion-Infaillible vint me faire son rapport. Attentionné, il m'avait rapporté des vivres.

– Tiens, dit-il en me tendant huit rouleaux de bonbons. J'ai trouvé ça à la cafétéria.

– Ouin… Pas l'aliment le plus nutritif, mais bon. C'est quoi ?

– Aucune idée, avoua-t-il. On dirait des « Life Savers ». Ils commencent peut-être déjà à donner les bonbons d'Halloween…

– Merci, tu me « sauves la vie » ! blaguai-je.

Je mourais de faim. Rapidement, je me mis à déballer un rouleau de pastilles colorées afin de choisir les meilleures en premier – les rouges.

– Alors ? demandai-je, la bouche pleine.

Jo prit son ton le plus professionnel, qui ressemblait à celui de l'agent 007.

– Ils ont passé toute l'heure du midi ensemble, déclara-t-il.

– Je le savais…

Jo fouilla ensuite dans ses notes. Il ne voulait rien oublier.

– 12 h 37 - Ils ont reçu leur repas : un vol-au-vent au poulet, probablement appelé ainsi parce que j'ai vu des élèves se les lancer.

– Ensuite ?

– 12 h 38 - Lebeau-Dubois prend une bouchée et fait une grimace parce qu'il s'est brûlé la langue.

– On s'en fiche de lui ! Que fait Andréanne ?

Jo me lança un regard offusqué : il n'aimait pas que je le presse dans son exposé.

– 12 h 39 - Elle prend une gorgée de son jus de légumes, lequel comporte huit ingrédients essentiels à une bonne santé et à un rythme de vie équili…

– Laisse tomber les détails inutiles ! le coupai-je. Qu'est-ce qu'ils se disaient ?

Jo semblait de plus en plus agacé par mon attitude irrespectueuse vis-à-vis de ses talents de fin limier.

– Je sais pas, j'ai pas réussi à être assez près pour les entendre, ajouta-t-il, déçu d'avoir failli à sa mission.

– Fallait t'approcher de leur table !

Ma voix était tout à coup devenue autoritaire. Jo, irrité, abandonna son rôle d'espion international.

– Si t'es pas content, fais-le toi-même la prochaine fois !

– Tu les as vus s'embrasser, oui ou non ?

– Bon, là, ÇA VA FAIRE !! éclata-t-il, furieux. J'en ai assez de jouer les intermédiaires. Si tu veux savoir s'ils sont en couple, demande-lui directement !

Son ton était devenu aussi sec que le pain de la cafétéria. Ce n'était pas JoJo tout ça. Je ne l'avais jamais vu aussi fâché. Même l'année dernière, avec l'histoire de M.-P. et de son poème. Je devais faire plus attention à notre amitié. Aveuglé par mes propres sentiments, je n'avais pas remarqué à quel point il déployait beaucoup d'efforts pour moi. Lui aussi souhaitait que notre trio redevienne comme avant, c'est-à-dire inséparable…

Par chance, le cours suivant était idéal pour réfléchir à mon comportement envers mon ami.

J'entrai dans la classe d'« animation spirituelle ». Un autre univers. Complètement. Les lumières tamisées nous y faisaient voir notre existence sous un éclairage nouveau (mais impossible de voir où on posait les pieds, par contre ; mes tibias pouvaient en témoigner). Une odeur d'encens nauséabonde flottait dans l'air, question de purifier notre âme (mais pas nos poumons). C'est dans cette ambiance feutrée que l'animateur, monsieur Zabé, nous attendait.

– Bonjour, les z'amis, fit-il en nous apercevant.

On se serait crus dans une émission de *Passe-Partout*...

– Entrez... ne vous z'ênez pas ! Hic !

S'il y avait déjà eu le Père et le Fils, voilà maintenant que le Sans-Esprit se tenait devant nous... Physiquement, ce n'était pas un cadeau du ciel non plus : cet ancien prêtre ressemblait comme deux gouttes d'eau à monsieur Patate. Avec sa moumoute qui ne tenait jamais en place et ses lunettes en constant déplacement sur son nez imbibé de gin, on aurait dit qu'il perdait ses morceaux. D'ailleurs, monsieur Zabé paraissait plus porté sur les spiritueux que sur le spirituel (d'où ses problèmes de foi...).

– Assoyez-vous z'en rond, z'il-vous plaît, ajouta-t-il. Hic !

Le reste de la classe s'était déjà écrasé sur des coussins pour y relaxer. Jo se dépêcha de s'asseoir, ne me laissant qu'une place : celle à côté de Lebeau-Dubois. Le salaud ! S'il voulait se venger de mon comportement égocentrique, il avait trouvé le bon moyen !

– Aujourd'hui, nous z'allons *partager*, annonça monsieur Zabé, en mettant beaucoup d'accent sur le dernier mot. L'idée est simple. Hic ! Sur un bout de papier, vous allez écrire de bons mots sur la perzonne qui est assise à côté de vous.

Quoi ? Même si c'était mon ennemi juré ? Je n'avais rien de bon à dire sur lui ! En face de moi, je voyais Jo rigoler dans sa barbe. (C'est juste une expression, bien sûr. N'allez surtout pas croire que Jo s'était fait pousser un *pinch* durant l'été !)

– Salut, me dit mon nouveau coéquipier. C'est cool qu'on fasse équipe !

Il me parlait, en plus ! Une véritable torture…

– Hmm, hmm, marmonnai-je, avalant frénétiquement les bonbons que Jo m'avait donnés pour éviter d'avoir à élaborer sur le sujet.

Qu'est-ce que je pourrais écrire de positif ? « Si t'étais mort, tu ferais un cadavre exquis ? »

– Allez, puisez votre bonté z'en vous, philosopha monsieur Zabé. Donner à l'autre, z'a fait aussi du bien à soi. Hic !

Tandis que certains s'amusaient à jouer au tic-tac-toe sur leur feuille, Lebeau-Dubois me tendit la sienne. Déjà ? Je n'avais pas encore trouvé un semblant de compliment ! Quand je regardai son message, un malaise m'envahit. Pas parce qu'il avait écrit qu'on pourrait être de grands amis et blablabla. Non, pour une autre raison que je n'arrivais pas à identifier.

– On va cueillir le fruit de votre dur labeur, indiqua l'animateur après quelques minutes. Hic ! Qui veut commencer ?

– Moi ! s'écria Valérie Saputo-Riopelle.

Notre collègue suisse, qui habite Oka, était très motivée. Enfin, elle allait pouvoir lire de bons commentaires sur sa personne. Et non les habituelles remarques sur son hygiène corporelle douteuse et son odeur particulière…

– Quand je suis avec toi, je me *sens* bien, lut-elle à voix haute.

Quelques personnes se mirent à rire, ce qu'elle ne remarqua pas.

– T'es vraiment quelqu'un qui laisse sa *trace,* poursuivit-elle tandis que certains étouffaient leurs ricanements.

Mon regard croisa alors celui de mon meilleur ami. Dans ses yeux, j'aperçus un mélange de tristesse et de rage. Surtout de la rage. M'en voulait-il à ce point ? Mais… il en tremblait ! Je vis alors ce qu'il tenait dans ses mains. Une feuille bien différente de celles que monsieur Zabé avait distribuées.

Oh non !

La Fouine avait-elle frappé de nouveau ?!

Preuve ultime de son amitié, Jo plia la lettre en forme d'étoile de ninja et me la lança sans que personne s'en aperçoive.

– Avec tout ce que tu *dégages,* jamais je ne t'oublierai, termina Saputo-Riopelle avec le sourire, profondément touchée par cet hommage senti.

– Z'est beau, très beau, commenta monsieur Zabé. Hic ! On en lit un deuxième ?

Un autre élève entama la lecture de son texte. Pendant ce temps, je dépliai la lettre de Jo. Pas de doute : il s'agissait bel et bien de la Fouine.

Mon cher Jonathan Leroux-Tremblay,

Comme l'ensemble de tes collègues, tu as un secret.

Tu as toujours eu une enfance heureuse. Tes parents adoptifs t'adorent et ce sentiment est réciproque. Alors, quand ils t'ont raconté qu'ils t'avaient adopté parce que tu étais orphelin, tu les as crus. Évidemment.

Comme je t'aime bien, je veux t'aider. Je voudrais que tu saches la vérité. Eh oui ! Toute cette histoire n'est qu'un tissu de mensonges...

Tes vrais parents sont bel et bien vivants. Et n'imagine surtout pas qu'ils habitent dans un coin reculé de la Chine. Pas du tout. Ils vivent ici même au Québec.

Je te souhaite bonne chance pour les retrouver !

La Fouine

En lisant le message, je ressentis toute la rage que Jo pouvait éprouver. De quoi la Fouine se mêlait-elle ? Pourquoi jouer ainsi avec nos vies ?

Soudain, je compris le malaise que j'avais ressenti en lisant le texte de Lebeau-Dubois. Pour la lettre de M.-P., je n'avais fait qu'entrapercevoir l'écriture, mais là, je pouvais l'observer aussi longtemps que je le voulais. Et l'évidence me sautait aux yeux : la calligraphie de Lebeau-Dubois et celle de la Fouine étaient pratiquement identiques !

VI

– Attends que je mette la main sur la Fouine ! pesta Jo, durant la pause. Ça va être sa fête !

Une violence inhabituelle semblait l'habiter. Je ne l'avais jamais vu dans un tel état.

– Je..., commençai-je.

En voyant son regard assassin, je me tus aussitôt. Un regard qui pourrait réduire n'importe qui en cendres (même un non-fumeur...).

– Quoi ? demanda-t-il, furieux. Qu'est-ce qu'il y a ?

J'étais sur le point de lui dévoiler mes soupçons à propos de Lebeau-Dubois, mais quelque chose venait de m'en empêcher. Ou plutôt quelqu'un, en chair – surtout – et en os.

Lebœuf-Haché. Par une fenêtre de la salle de récréation, je pouvais l'apercevoir : il se dirigeait à nouveau vers la Forêt magique.

– Suis-moi ! dis-je à Jo.

Mon instinct me disait que Francis allait nous mettre sur une nouvelle piste (ou sur un sentier de randonnée pédestre…). Son comportement était des plus suspects.

– Où va-t-on ?

– Regarde là-bas, répondis-je en pointant du doigt l'orée du bois.

Au loin, mon énorme suspect pénétrait dans la forêt.

– Lebœuf-Haché ? remarqua Jo. Qu'est-ce qu'il fait là ?

– C'est ce qu'on va essayer de découvrir.

Je lui racontai les événements étranges du matin. Le Hummer rouge. Le mystérieux colis. On allait enfin trouver la clé de ce mystère.

C'était la première fois que je remettais les pieds dans la forêt depuis ma bataille contre Yannick. En automne, l'endroit paraissait radicalement différent. Après avoir dépassé les premiers buissons, on se retrouva dans une forêt luxuriante et multicolore. C'était beau et inquiétant à la fois. Tout semblait identique. Comment se repérer dans cette jungle orangée ? Rebrousser chemin allait être moins facile que prévu…

– Fais attention ! chuchotai-je à mon ami dont la principale qualité n'était pas la discrétion.

– On l'a perdu…, murmura Jo, déçu, après avoir marché sur une quinzaine de mètres.

Francis avait effectivement disparu dans la densité de la nature. Je m'arrêtai et tendis l'oreille. Jo m'imita. Rien. Seul le vent dans les feuilles parvenait jusqu'à nous. Tout à coup, j'entendis un craquement. Il était tout proche ! Je me jetai au sol, derrière le premier buisson venu – espérant que ce ne soit pas de l'herbe à puce… Les bruits se faisaient de plus en plus réguliers. Jo, quant à lui, s'était réfugié derrière un arbre. Il me fit un signe compliqué, digne d'un entraîneur de baseball : il l'avait repéré.

Quelques secondes plus tard, Jo se lança dans un nouveau signal : lobe-d'oreille/lèvre-supérieure/haut-du-front/doigt-pointant-au-loin. On pouvait y aller.

– Il est juste là, réussis-je à lire sur ses lèvres.

À mon tour, je venais d'apercevoir un mouvement parmi les arbres. Sur la pointe des pieds, on se mit à le suivre. Nous étions assez près de lui pour voir son dos.

Puis on arriva à une clairière au bout de laquelle se dressait une montagne de roc. On aurait dit que les arbres se tenaient à une distance respectueuse de cette dernière, comme s'ils jugeaient trop dangereux de s'en approcher. « Tu ferais mieux de les imiter », me chuchota une petite voix intérieure. Une aura particulièrement sinistre et mystérieuse s'en dégageait.

Mais…

Où étaient passés Lebœuf-Haché et sa cervelle d'oiseau ? Oh non ! Ils s'étaient volatilisés ! Pourtant, on était juste derrière lui ! Il ne pouvait pas être allé bien loin : il n'aurait pas eu le temps d'escalader la montagne sans qu'on le voie.

– Je comprends pas…, déclara Jo, confus. Une seconde, il est là ; l'autre, il a disparu.

Les rumeurs étaient-elles fondées ? La forêt était-elle vraiment « magique » ? J'étais loin de croire à ce genre de truc mais, ce coup-ci, j'avais des doutes.

Soudain, je me sentis étourdi et me mis à chanceler.

– P.-A. ! Ça va ?

Mon ami avait raison de s'inquiéter : j'étais à deux doigts et – à deux jambes – de tomber par terre. Il fallait que je m'assoie. On quitta la clairière pour se replier à l'abri des arbres. Jo m'installa sur un gros rocher.

– Ça vient tout juste de me prendre, ajoutai-je, fiévreux.

En une seconde, j'étais devenu aussi blanc qu'un drap sur lequel on aurait échappé trois tonnes d'eau de Javel. Et mon dos s'était transformé en chutes Niagara des sueurs froides.

– J'ai mal au cœur et…

Un nouveau bruit nous alerta. Lebœuf-Haché venait de réapparaître ! Je le voyais, au beau milieu de la clairière, avec un étui à crayons dans les mains. Comment était-ce possible ? Il y avait un passage secret ou quoi ? On se glissa derrière la grosse roche pour le laisser passer. Quand il fut à notre hauteur, Jo voulut intervenir.

– Attends ! chuchotai-je, en essayant de contrôler ma nausée. On va le suivre.

Je voulais l'attraper la main dans le sac (et, pour une fois, dans autre chose qu'un sac de *chips*…).

– Pourquoi on l'arrête pas tout de suite pour le confronter ? s'impatienta mon ami, qui semblait avoir retrouvé cette violence inquiétante apparue plus tôt. À deux, on serait capables de le maîtriser !

– Fais-moi confiance.

Obnubilé par ce qu'il s'apprêtait à faire, Francis ne remarqua pas qu'on était derrière lui. De retour dans l'école, on le suivit jusqu'au bout d'un couloir. Il ne pouvait pas aller plus loin. Lebœuf-Haché ouvrit l'étui à crayons et... en sortit une lettre ! Il se pencha pour la glisser sous la porte de la classe de maths. C'était l'occasion rêvée !

– Penses-y même pas ! l'arrêtai-je, d'une voix très autoritaire malgré mon état nauséeux.

Il sursauta. Nerveux, il se redressa, l'enveloppe toujours en sa possession. Il leva les mains dans les airs, comme un bandit surpris en plein hold-up.

– Monsieur est devenu facteur ? ironisa Jo.

– Pourquoi tu dis ça ? le questionna Francis, glissant ses mains boudinées derrière son dos.

– Donne-moi la lettre, commanda mon ami.

Son ton était très calme. Malgré tout, on pouvait y percevoir une grande colère. Le volcan grondait et allait se réveiller. Le mont Fujiyama passerait pour un feu d'artifice amateur à côté de lui.

Jo s'approcha de Francis. Lentement. Dangereusement. À première vue, il ne faisait pas le poids contre Lebœuf-Haché. Pourtant, c'était Goliath qui tremblait, pas David.

– J'ai dit : DONNE-MOI ÇA, ordonna-t-il à nouveau.

Dans un geste désespéré, Francis se retourna et se mit à déchirer la lettre en mille morceaux.

– Nooonnnn ! hurla Jo.

Mon ami lui sauta sur le dos, sans arriver à contourner ses bourrelets pour atteindre la lettre. Pendant ce temps, son gigantesque adversaire continuait de se prendre pour un déchiqueteur. Jo changea de stratégie et empoigna une de ses poignées d'amour pour le coller contre le mur. Sa fureur lui donnait une force surhumaine.

– Que viens-tu de déchirer ? hurla-t-il. Qu'est-ce qu'il y avait d'écrit ?

– Tu le sauras jamais !

Francis avait en partie raison : la lettre gisait à ses pieds, en une centaine de petits bouts de papier. J'en ramassai un. Malgré mes étour-dissements et ma vision qui s'embrouillait, je pouvais distinguer une syllabe par-ci, un mot par-là. Rien malheureusement qui permettrait de décoder le message initial. Ou encore de prouver que l'écriture appartenait bel et bien à Lebeau-Dubois…

– C'est toi, la Fouine ? fulmina Jo.

Les chances qu'il avoue étaient plutôt minces (même si c'était loin d'être son cas…). Tout de même, Francis paraissait totalement terrorisé. Son double menton tremblotait telle une montagne de Jell-O.

– Non, finit-il par avouer, voulant sauver sa peau (grasse). Je te jure que c'est pas moi.

– C'est qui, alors ?

– Je le sais pas…

Jo le secoua violemment. Un pudding aurait eu plus de fermeté.

– Prends-moi pas pour un imbécile ! rugit-il.

– Je le sais pas, c'est vrai !

Il semblait dire la vérité. Mais pourquoi livrer des lettres sans en connaître l'auteur ?

– Qui t'a demandé de venir la porter ici ? demandai-je, m'immisçant dans l'interrogatoire.

J'utilisais un ton plus doux : la bonne vieille technique du « bon flic, mauvais flic ». Ce n'était pas nécessaire : Lebœuf-Haché était déjà prêt à tout avouer.

– Je le fais pour un prof, commença-t-il, honteux.

– Un prof ?! Quel prof ?

– Il m'a promis de me faire passer tous mes cours si je lui rendais ce service, continua-t-il.

– Son nom ! lui cria-t-on, en chœur.

Il allait nous répondre, mais une voix nasillarde l'interrompit :

– Si c'est pas mon meilleur ami, Fonds-d'Bouteille !

Merde ! Le rouquin et le reste de sa bande venaient d'arriver ! Pourquoi maintenant ? Juste au moment où on allait tout découvrir !

– Laisse-nous tranquilles, grognai-je.

Il ne parut pas très heureux de voir que je roux-spétais.

– Ah ! Parce que môssieur pense qu'il peut me répondre maintenant ?

Il me poussa sauvagement. Je perdis l'équilibre un instant, puis me redressai avec la ferme intention de ne pas me laisser faire. Jo lâcha Francis pour venir à ma rescousse. Malheureusement, Postiche-Clémentine eut le temps de me présenter sa conjugaison préférée, « Je-Tue-Il », à l'aide de son poing droit. Tout de même, je me relevai pour un autre round.

Je persiste et je saigne.

– QU'EST-CE QUI SE PASSE ICI ?

Sauvés ! Notre prof de maths arrivait à notre rescousse ! Il avait l'air d'un super héros. Il ne lui manquait qu'une cape et des bas collants super moulants.

– Rien du tout, monsieur Réjean, bafouilla Lebœuf-Haché.

– Ce n'est pourtant pas mon impression, jugea notre enseignant.

Ses yeux s'attardèrent un moment sur les morceaux de papier à nos pieds.

– Tout va bien, monsieur Gravel-Laroche ? s'enquit-il, voyant que j'étais la victime la plus évidente.

– Euh… oui, oui, répondis-je, avec des S.O.S. au fond des yeux.

Monsieur Réjean se tourna alors vers la bande de Toison-Calcinée :

– Même si personne ne veut parler, je sais qui est responsable de tout ça.

Comme si c'était possible, Orange-Velue rougit davantage.

– Je ne veux plus JAMAIS avoir à intervenir auprès de VOUS, est-ce bien CLAIR ?

Notre prof de maths avait utilisé son registre le plus autoritaire (pour lequel il mériterait un prix à Cannes). Une performance magistrale, époustouflante. On ne pouvait pas demander mieux.

– Accompagnez-moi chez le directeur, on va avoir une petite discussion, conclut-il avec la même force.

C'était la meilleure intervention disciplinaire qui m'avait été donnée de voir. Tout semblait parfait.

Tout ?

Peut-être pas…

Tandis que Lebœuf-Haché se dirigeait vers le bureau de la direction avec notre libérateur, il se retourna et me fit un clin d'œil. Si je n'avais pas été aussi myope, j'aurais pu jurer que, au coin de ses lèvres, un petit sourire de satisfaction se dessinait…

VII

– T'as pas l'air dans ton assiette, remarqua Jo.

Visiblement, il était déçu que je n'aie pas touché à celle qu'il m'avait rapportée de la cafétéria pour le souper.

– Non, non... ça va, avançai-je.

C'était loin d'être vrai, mais je n'avais pas envie de parler de maux. Surtout pas de ceux qui m'habitaient depuis notre promenade (nullement santé...) dans la forêt.

– J'espère que mes parents ne viendront pas ce soir, ajouta mon ami.

– Je te le souhaite...

Après ce qu'il avait lu dans la lettre de la Fouine, il était compréhensible qu'il ne veuille pas les affronter...

La rencontre des parents allait commencer dans quelques instants. Plusieurs étaient déjà arrivés. Ceux-ci testaient l'inconfort de nos chaises en plastique, véritables instruments de torture médiévaux.

– Voilà ton père et ta mère, constata Jo, soulagé que ce ne soit pas les siens.

Oh, oh ! Il disait vrai : monsieur Gravel et madame Laroche venaient tout juste d'apparaître au bout du couloir. Ils s'avançaient vers moi d'un pas déterminé. Si seulement j'avais hérité du tiers de leur détermination...

Des fois, je me demande s'ils sont vraiment mes parents. Peut-être suis-je adopté, moi aussi ? Qui sait ? On est tellement différents. En fait, on n'a rien en commun. Rien du tout. Ma philosophie de la vie serait davantage : « Je pense, donc je suis » ; et eux préfèrent : « Je dépense, donc je suis » (phrase du célèbre penseur Descartes de Crédit). Quand je leur pose des questions pour les comprendre, j'obtiens toujours la même réponse : après une jeunesse misérable – où ils recevaient uniquement une orange pour Noël –, ils se sont rencontrés alors qu'ils étaient membres d'une chorale. C'est là qu'ils ont uni leur voie. Au début, ils ont connu des années difficiles financièrement, mais après s'être fait mettre à la porte à quelques reprises, mon père est finalement devenu cadre dans une compagnie pharmaceutique. À partir de ce jour, ils ont vécu la vie parfaite : grosse maison, gros chien, grosse piscine, gros bateau, grosse télé, petits téléphones et… moi. J'ai souvent l'impression d'être la seule tache à ce tableau idyllique.

– Mon Dieu ! s'exclama ma mère. Que t'est-il arrivé, mon chéri ?

Elle venait d'apercevoir ma pâleur maladive. Ça et mon visage sévèrement amoché par le dix-huit roux qui m'avait passé sur le corps.

– Qui t'a fait ça ? s'indigna mon père, furieux.

– Personne…

– Comment ça, personne ? bouillit-il. Ne viens pas me raconter une autre fois que tu es tombé de ton lit superposé !

Sa moustache frémissait de colère. Pas bon signe. Je devais désamorcer la situation avant qu'il se lance coûte que coûte à la recherche d'un coupable et me mette encore plus dans le pétrin.

– C'est parce que je viens de m'inscrire dans l'équipe de football, mentis-je. Les entraînements sont un peu raides.

Mon père cacha difficilement sa surprise. Il savait que ce n'était pas mon genre. Mais comme aucun cheveu blanc supplémentaire n'apparut sur ses tempes, je me dis que c'était de bon augure et qu'il allait peut-être me croire.

– C'est vrai, renchérit Jo. Moi aussi, je voulais en faire partie, mais ils m'ont pas pris dans l'équipe.

Quel talent caché ! Intérieurement, je remerciai Jo pour sa capacité merveilleuse à mentir aux adultes.

– Eh bien ! s'étonna mon père. Qui l'eût cru ? Mon fils dans l'équipe de football ! Mon gars dans « Les Mastodontes » ! Là, tu me rends fier !

Heureux, il me donna une bonne tape sur l'épaule. Je faillis tomber par terre. Qu'est-ce qu'il y avait de si impressionnant ? On aurait dit que je venais de lui annoncer que j'avais décroché le prix Nobel. Et tout ça pour un petit ballon ovale qui vous garantissait quelques fractures…

– Bon, déclara ma mère, ravie de cette joie paternelle. Allons voir ce que tes enseignants ont à dire !

Je fis un signe de la main à Jo, question de lui signifier qu'on se reverrait après ce supplice. En espérant que tout aille pour le mieux entre ses parents et lui…

– Suivants ! annonça monsieur Lavallée.

C'était notre tour de rencontrer le prof de géo. Après les nombreux événements de la journée, je ne voulais pas savoir ce qu'il aurait à dire à propos de moi… En plus, une soudaine poussée de fièvre me faisait halluciner : tout tanguait autour de moi, comme sur un bateau de pirate. Ma tête était un tambour sur lequel un homme frappait en cadence pour que les esclaves rament plus vite. Quelle galère ! Ligoté au bout d'une planche, il ne me restait plus qu'à plonger dans une mer infestée de requins...

Mon père referma la porte du local derrière nous. Les gonds grincèrent si fort que j'eus l'impression que mes tympans allaient exploser. Mes tempes battaient furieusement. Qu'est-ce qui me prenait ? Pourquoi me sentais-je sur le point de mourir ?

– Ah ! Monsieur Gravel et madame Laroche !

Monsieur Lavallée affichait un air joyeux inhabituel. Quel mauvais présage...

– Assoyez-vous, s'il vous plaît.

Il nous désigna trois petites chaises, où on prit place.

– Je suis très content de vous voir, enchaîna-t-il.

– Nous aussi, ajouta mon père, habitué de parler pour deux.

Si mon prof voulait prendre un air détaché avant d'annoncer de mauvaises nouvelles, c'était parfaitement réussi.

– Comme vous devez vous y attendre, votre fils a de très bonnes notes.

Le sourire de mon père se fendit au point de s'approcher de ses lobes d'oreilles. Ma mère, elle, fouilla dans son sac, sûrement pour y trouver un mouchoir et éponger les larmes de joie qui se pointeraient sous peu. Quant à moi, dans ma tête remplie de corsaires, je me disais que c'était le calme avant la tempête.

– Pour ce qui est de son comportement en classe…, continua monsieur Lavallée.

Il y eut une pause. Un suspense insupportable. Ma fièvre continuait à monter. Je bouillais littéralement.

– … il est exemplaire, conclut-il.

La tension s'évacua aussitôt de la pièce et de mon corps. Je n'en croyais pas mes oreilles ! Avais-je bien compris ?

– C'est parfait, déclara mon père en se levant. C'est exactement ce que je voulais entendre. Merci beaucoup pour votre temps.

Visiblement content, il serra la main de monsieur Lavallée.

– S'il y a quoi que ce soit, professeur, n'hésitez pas à nous contacter, renchérit-il solennellement. Vous et moi formons une équipe, dans ce dossier, ne l'oubliez pas.

Tandis que mon père mettait un point final à cette courte rencontre, je me remettais de mes émotions. Aucune mention de la lettre que j'avais attrapée en classe en me jetant pratiquement par la fenêtre. Ni de l'exercice d'incendie où j'avais sauvé un élève en mettant ma propre vie en danger. Ni de mon visage amoché et de mon état de santé visiblement mauvais. Pourquoi mon prof mentait-il ? Qui essayait-il de protéger ?

Moi ?

Ou l'école… ?

Le reste de la soirée se déroula à la perfection. Tous vantèrent mes prouesses scolaires et s'entendirent pour dire que mon comportement était excellent. Physiquement, j'allais de mieux en mieux. Mon mal de tête, ma nausée, mes étourdissements, tout semblait s'estomper. Je ne comprenais pas pourquoi je m'étais senti aussi mal en point mais, au moins, les choses rentraient dans l'ordre. Tant mieux.

Avec monsieur McLaughlin (notre prof d'anglais né quelque part entre l'Arbre et l'Écosse), je me permis même de faire une blague : « Il y a rien de *mieux* que Shake*spire.* » Ça rendit mes parents heureux de mon intérêt pour la littérature anglo-saxonne.

Il ne restait plus qu'un enseignant à rencontrer : Lavallée[2], monsieur Réjean. À voir comment il m'avait protégé plus tôt avec *Mister* Rouquin et sa bande, ce dernier rendez-vous ne pouvait qu'être une conclusion parfaite à la soirée.

– À qui le tour, maintenant ? demanda notre prof en ouvrant sa porte.

Ah, non, pas encore lui ! Quand il s'agissait de Lebeau-Dubois, on aurait dit que j'étais toujours destiné à passer en deuxième. Tandis que monsieur Réjean serrait (un peu trop ?) chaleureusement la main de monsieur Dubois père, je les contournai rapidement pour me réfugier dans la classe de maths. Pas question qu'il gâche encore mon bonheur, celui-là !

– J'aurais préféré vous offrir quelque chose de plus confortable, fit monsieur Réjean en désignant nos trônes de plastique.

– Ce n'est rien, répondit mon père.

Il semblait heureux de rencontrer quelqu'un qui avait autant de classe (au moins une – celle dans laquelle notre prof nous enseignait). Tout en admirant un buste triangulaire de Pythagore, mes parents s'assirent.

– Je ne dois pas être le premier à vous dire cela, commença monsieur Réjean d'un air officiel, mais les résultats scolaires de Pierre-Antoine sont excellents.

Pour la huitième fois de la soirée, mes parents firent semblant d'être surpris par cette information.

– Toutefois…, ajouta-t-il.

Le ton de sa voix changea dramatiquement. Un nuage noir s'installa au-dessus de la classe. Un nuage qui allait pleuvoir uniquement sur moi.

– … le comportement de Pierre-Antoine est inacceptable.

Mon père se tourna vers moi, des éclairs dans les yeux. Pire que Zeus dans une mauvaise journée. Je lui renvoyai un regard étonné.

– Expliquez-vous, s'il vous plaît, ordonna mon père, retenant difficilement sa fureur.

– Eh bien ! Je ne sais pas par où commencer. Le portrait d'ensemble est plutôt sombre.

C'était la confusion totale dans ma tête. À quoi faisait-il référence ? Pourquoi cette attitude dramatique ? Sur mes tempes, les tambours recommencèrent à cogner.

– Peut-être serait-il préférable que Pierre-Antoine attende à l'extérieur pendant que je vous explique, proposa monsieur Réjean.

Mon père me lança un regard embarrassé. Il semblait sur le point d'exploser. Quand il est en colère, mon père perd ses repères (tiens, ça ferait une bonne chanson de rap !).

– Pierre-Antoine, tu as entendu ce que ton professeur a dit ?

Je comprenais ce que je devais faire, mais je n'arrivais pas à bouger.

– Chérie, insista-t-il auprès de ma mère, voudrais-tu l'accompagner ?

Aussi troublée que moi, elle me prit par le bras pour me conduire dans le corridor. Je n'eus pas la force de rétorquer quoi que ce soit. Terrassé par la surprise, je me laissai entraîner, aussi énergique qu'un prisonnier traversant le couloir de la mort pour la dernière fois…

Après une éternité, mon père ressortit de la classe. Je ne l'avais jamais vu dans une colère aussi noire. Sur le seuil de la porte, il déclara à monsieur Réjean :

– Merci beaucoup pour votre vigilance. Au moins, il y a un enseignant qui n'a pas peur d'affronter les parents et de leur dire la vérité. Contactez-moi si ce comportement persiste. Je n'hésiterai pas à prendre les mesures nécessaires. *Même s'il faut le changer d'école !*

Quoi !? Je n'en revenais pas ! Qu'avaient-ils bien pu se dire ?

Non seulement mon estomac se remit à jouer au yo-yo (la corde était sur le point de se rompre) mais, en plus, les dernières paroles de mon père résonnèrent dans ma tête.

De plus en plus fort.

À un point tel que cela devint insoutenable.

Et sans avertissement…

Je perdis conscience.

DEUXIÈME PARTIE

MALADE TOUT COURT

I

31 octobre

Je passai deux semaines alité. C'était pratiquement un coma, mais intermittent. Quand je sortis des vapes pour de bon, mes parents étaient à mon chevet, anxieux. Mon père affichait un air terriblement coupable. Comme si sa colère avait pu causer mon évanouissement ! Quant à moi, je ne me souvenais plus des heures qui avaient précédé ma perte de conscience ni de ce qui l'avait provoquée. Et personne ne savait ce que j'avais. On me fit consulter des médecins et passer des tests ; les experts ne réussissaient pas à s'entendre sur un diagnostic. L'hypothèse la plus fréquente : l'empoisonnement alimentaire. Ça me semblait peu probable. Avec la boule qui se formait dans mon estomac chaque fois que je pensais à Andréanne, je n'avalais plus rien depuis un bon moment. Une vraie histoire sans faim.

Le contraire m'aurait paru plus logique : ma sous-alimentation m'avait rendu malade. Ça, ou un microbe qui courait dans l'air. D'ailleurs, je n'étais pas le seul élève à afficher d'étranges symptômes cette année…

Transformés par la situation, mes parents devinrent extrêmement attentionnés. Pas un mot sur ce qui s'était passé à la rencontre des parents : l'important était que je me rétablisse. Pendant un instant, j'eus même l'impression que je comptais pour eux, que leur habituelle froideur n'était qu'une façade. Malgré tout, une fois que je fus guéri, ils me renvoyèrent illico à l'école. Probablement soulagés de retrouver leur routine…

Aujourd'hui, c'était mon retour avec un grand « R ». Celui-ci s'accompagnait de deux bonnes nouvelles : premièrement, l'Halloween – que je n'aurais manquée pour rien au monde – ; et deuxièmement, Andréanne, folle de joie de me revoir.

Son accueil dépassa toutes mes espérances.

– P.-A. !!!

Elle me sauta dans les bras. Je l'enlaçai à mon tour, gêné.

– Comment ça va ? J'étais tellement inquiète !

Je ne répondis pas tout de suite, profitant de ce moment merveilleux : sa chaleur m'engourdissait, son parfum m'étourdissait. Elle me serrait avec une vigueur qui aurait pu ranimer n'importe qui, même un vieux cadavre congelé. Malheureusement, après un long moment (qui me parut trop court), on se détacha l'un de l'autre.

– Ça va mieux… maintenant ! répondis-je.

À quoi faisais-je référence ? À ma santé ou à notre relation ?

– Sais-tu pourquoi tu t'es évanoui à la rencontre des parents ? me demanda-t-elle de but en blanc.

– Aucune idée… Je me souviens de rien…

– J'avais peur que tu ne reviennes pas, ajouta-t-elle, préoccupée. Comme Jetté-Dupont.

L'évidence me sauta aux yeux : je ne pouvais pas supporter d'être loin d'elle. Si ça se trouve, c'est ce qui m'avait rendu malade. Je pris alors une décision : prouver que l'écriture de la Fouine était bien celle de Lebeau-Dubois. Il fallait que je me débarrasse de lui, une fois pour toutes !

– Les médecins n'ont pas trouvé ce que t'avais ?

– Non, répondis-je. Ils ont fait plein de tests, mais ils n'ont rien découvert. J'ai dû attraper un virus quelconque…

– T'es pas le seul. Tout le monde est malade en ce moment !

– Pour vrai ?

– Mets-en ! Tous les élèves toussent, reniflent ou s'évanouissent, expliqua-t-elle. Il y en a même qui sont rentrés à la maison. Sans parler de ceux dont le comportement est vraiment bizarre !

– Qu'est-ce que tu veux dire ?

– Viens, tu vas comprendre.

Elle se dirigea vers le local d'art dramatique, où avait lieu notre prochain cours. Je la laissai prendre les devants pour l'admirer : ses cheveux qui tombaient parfaitement sur ses épaules, sa nuque qui me paraissait si fine et si douce, sa peau que j'avais envie d'effleurer du bout des doigts…

Wow… J'aimais cette fille-là, c'était fou !

– Les élèves sont tombés sur la tête, poursuivit Andréanne pendant qu'on marchait. Faut dire que les lettres de la Fouine n'améliorent pas la situation.

– Il y en a encore ?

– Trois tonnes, certifia-t-elle. Ceux qui en reçoivent ont des réactions bizarres : un élève est devenu tout vert et n'a pas changé de couleur depuis ; un autre n'arrête pas de se gratter ; il y en a même plusieurs dont la peau s'est couverte de boutons !

Tournant la tête vers un garçon pustuleux que me pointait Andréanne, je vis Lebeau-Dubois s'avancer vers nous. Ah non, pas ENCORE lui ! À ses côtés se tenait… Jo ! Quel était ce petit rire complice que je venais d'entendre entre eux ? Seraient-ils devenus amis pendant mon absence ?!? Je n'en revenais pas. Quel traître !

Deuxième fait surprenant : ils portaient un masque chirurgical.

– Qu'est-ce que vous faites avec ça ? les questionnai-je, en tentant de cacher ma déception devant le manque de loyauté de mon ami. Les costumes, c'est juste ce midi qu'on doit les enfiler.

– C'est pas un déguisement, affirma Jo d'une voix étouffée.

– Tout le monde en porte un, compléta Lebeau-Dubois.

Lui donner raison ne m'enchantait guère, mais je dus me rendre à l'évidence : la plupart des élèves paraissaient en pleine opération à cœur ouvert. Difficile de ne pas le remarquer, maintenant que mes yeux n'étaient plus rivés sur Andréanne...

– On veut pas être malades, expliqua Jo. Ça semble être assez contagieux, merci...

Ayant été alité pendant deux semaines, j'étais bien prêt à le croire. N'empêche, la mesure me paraissait extrême. Avec tous ces gens masqués, l'école ressemblait à un monde post-apocalyptique. Il ne manquait plus que des survivants qui se transformeraient en cannibales affamés et se battraient pour un dernier morceau de tibia alléchant...

– Pourquoi t'en portes pas un, Andréanne ? l'interrogeai-je.

– Ceux qui le font tombent quand même malades, répondit-elle en haussant les épaules. Alors, je n'en vois pas trop l'utilité...

Le local d'art dramatique se voulait une réplique d'une salle de spectacle, avec une mini-scène d'environ trois mètres sur trois mètres, des cubes de bois où s'asseoir (attention : échardes meurtrières !) et des projecteurs qui aimaient décoller du plafond pour le plaisir de nos petits crânes.

Avant que le cours commence, Lebeau-Dubois se rendit dans les « coulisses » pour poser une question à notre enseignant. J'en profitai donc pour demander discrètement à mes amis :

– Alors, qu'avez-vous découvert sur la Fouine pendant mon absence ?

Andréanne et Jo se jetèrent un regard embarrassé.

– On a concentré nos efforts sur Lebœuf-Haché, répondit mon ami. Ça n'a rien donné…

– On attendait ton retour pour établir une stratégie, ajouta Andréanne.

Je lui fis un sourire, heureux que ma présence soit jugée essentielle. Décidément, mon retour à l'école était génial !

– OK, récapitulons, commençai-je à voix basse. Lebœuf-Haché a dit qu'il livre les lettres pour un prof, mais c'est peut-être une fausse piste.

Je n'avais pas envie qu'un enseignant soit derrière tout ça, je l'avoue. Dans ma tête, il n'y avait qu'un seul coupable possible.

– Non, affirma Jo, je ne pense pas. Il avait l'air sincère.

Effectivement, sa terreur était réelle devant les chorégraphies à la Jet Li de mon ami.

– Voici ce que je suggère, décréta Andréanne avec leadership. Si Francis aide la Fouine pour avoir de meilleures notes, il ne nous reste qu'à espionner les profs avec qui il a l'habitude d'échouer. Comme ça, on pourra voir s'il y a eu des améliorations suspectes.

– Il va falloir surveiller tout le monde ! déduisit Jo, découragé.

Même avec l'ensemble de nos enseignants sous écoute, j'étais convaincu qu'on ne découvrirait pas la vraie Fouine de cette façon : Lebeau-Dubois était derrière tout ça. Personne d'autre. Comment en convaincre mes amis ? En attendant de trouver le meilleur moyen de le faire, les suivre dans cette nouvelle mission me semblait la seule option possible. Et puis… j'étais avec Andréanne. Que demander de mieux ?

Mes réflexions furent interrompues par des coups de bâton. Trois petits coups ordonnant qu'on se taise.

– SILENCE ! entendit-on hurler.

C'était notre prof d'art dramatique. Monsieur Émard. Jean de son prénom. Un homme épuisé de tout. Il n'aimait guère que son entrée en scène soit gâchée par des chuchotements.

– Ouvrez une fenêtre, dit-il avec un ton grandiloquent, il fait chaud ici.

Pour monsieur Émard, la température de la pièce était toujours trop élevée. Voilà sûrement pourquoi il répétait sans cesse qu'on le faisait suer. À ses yeux, tout était de notre faute. Acteur de formation – professeur par déformation –, il était persuadé que ses élèves avaient gâché ses chances de connaître une carrière internationale. Et comme notre jeu d'acteur ne valait rien en comparaison de son immense talent (inclure ici un soupçon de sarcasme dans ma voix), il était de son devoir de nous donner des notes reflétant notre médiocrité. Résultat : il y avait tellement d'échecs dans son cours qu'on se serait crus dans un tournoi. Nous étions donc au bon endroit pour commencer la petite enquête sur Lebœuf-Haché suggérée par Andréanne.

– Êtes-vous prêts pour votre pièce de théâtre ? s'enquit monsieur Émard, impatient de nous donner quelques zéros de plus.

L'avant-midi de l'Halloween, il y a deux types d'enseignants : ceux qui aiment leurs élèves et font des activités intéressantes avec eux ; et les autres, qui prévoient un examen parce qu'ils ne veulent SURTOUT PAS avoir un seul moment plaisant en leur présence… Bien entendu, Jean Émard appartenait à cette seconde catégorie.

– Nous allons commencer par… voyons voir.

Il fouilla dans sa paperasse.

– La première équipe, et sûrement la moindre : Marc-Luc Favreau-Durand, Jonathan Leroux-Tremblay et... Pierre-Antoine Gravel-Laroche !

Évidemment. Qui d'autre ?

– Excusez-moi, monsieur, osai-je en levant ma main. J'ai été absent pendant deux semaines...

– Et puis ?

– On a pas pu répéter.

– Toujours la même histoire..., soupira-t-il. Que voulez-vous ? La vie est cruelle ! Comme on dit dans le métier : « The show must go on[4] ! »

Sur ces belles paroles, un méga-postillon quitta sa bouche pour atterrir sur mon chandail. Classique. Monsieur Émard postillonnait tellement qu'on avait souvent envie d'apporter un parapluie à son cours pour interpréter *Singin' in the Rain* tous en chœur...

4. Le spectacle doit continuer.

– De toute façon, continua-t-il, vous allez bien vous en tirer : il s'agit d'un extrait de Molière, intitulé judicieusement : « Le malade imaginaire ».

Derrière le vieux rideau faisant office d'arrière-scène, je demandai à Jo :

– Passe-moi un stylo. Je vais écrire mon texte dans ma main.

Ce n'était pas l'idée du siècle, c'est sûr. Mais que faire d'autre ? Mon ami me tendit un crayon-feutre. Il enfila ensuite une grosse perruque blonde et frisée. Il avait l'air d'un guitariste dans un groupe heavy metal des années 1980.

– Ris pas, m'avertit-il.

Je ne pus m'empêcher de sourire. Voyez-vous, dans la pièce, j'avais la chance d'interpréter Béralde, le frère du malade imaginaire. Jo, lui, devait se costumer… en fille ! Il incarnait une jeune Égyptienne et devait, en plus, chanter. Moment de théâtre mémorable (mais peut-être pas pour les bonnes raisons…).

– Allez-y, messieurs ! cria monsieur Émard tandis qu'on hésitait dans les coulisses.

Avec mes deux mains barbouillées d'encre, je me décidai enfin. Affichant autant d'expressivité qu'une plante, je sortis côté jardin. On entendit applaudir à mon arrivée sur scène (deux personnes, maximum…).

– EH BIEN, MON FRÈRE ? clamai-je d'un ton théâtral, gracieuseté d'une réplique soufflée par ma main (c'est mon petit doigt qui me l'a dit…). Euh… COMMENT VOUS PORTEZ-VOUS ?

Joué avec autant de talent, c'était un véritable rôle de décomposition… Favreau-Durand devait maintenant entrer en scène, mais il restait derrière le rideau, se rongeant les ongles jusqu'à la dernière phalange.

– Vas-y, l'encouragea Jo. C'est à toi !

Le clown de l'école me lança un regard terrifié. Pas trop son genre. Que se passait-il ?

– On enchaîne ! hurla monsieur Émard. On enchaîne !

Mon coéquipier se décida enfin et s'avança en évitant la foule du regard.

– AH ! MON FRÈRE, dit-il, FORT MAL.

Sa voix muait à nouveau d'une manière incontrôlable. Comme le jour où il avait reçu la lettre de la Fouine.

– COMMENT... FORT MAL ? poursuivis-je, déconcerté.

– OUI, JE SUIS DANS UNE FAIBLESSE SI GRANDE, QUE CELA N'EST PAS CROYABLE, continua-t-il.

Il semblait pris d'un étrange hoquet. Son malade imaginaire montait constamment dans les aigus. C'était bien pire que la première fois ! Aussitôt, toute la classe éclata de rire.

– VOILÀ QUI EST FÂ... euh... FÂCHEUX ! bredouillai-je.

– JE N'AI PAS SEULEMENT LA FORCE...

Il s'arrêta là. Ce n'était pas un trou de mémoire : sa voix l'avait carrément lâché ! Il articulait, mais aucun son ne sortait.

– Que se passe-t-il encore !? vociféra monsieur Émard.

Favreau-Durand faisait des signes vers sa gorge pour signifier qu'il ne pouvait plus parler.

– Ne me faites pas croire que vous prenez votre rôle à cœur à ce point ! croassa notre prof en faisant clignoter les lumières, ce qui signifiait que notre scène était interrompue.

Le jeu de lumières n'eut pas l'effet escompté : pris de convulsions, Nathan Pépin-Majeur se jeta au sol.

– Bon, et puis quoi maintenant ?!

Monsieur Émard ne croyait pas à la version personnalisée de la « danse du bacon » à laquelle il assistait. Tout de même, il s'approcha de Nathan.

– Ç'a l'air vrai ! s'exclama un élève.

Effectivement, Pépin-Majeur était secoué de spasmes intenses et de l'écume s'écoulait de sa bouche. Pas de doute : il s'agissait d'une crise d'épilepsie. Personne ne pouvait jouer aussi bien la comédie (même dans un cours d'art dramatique !).

– Tournez-le sur le côté ! somma monsieur Émard à deux élèves accroupis à côté du malade non imaginaire. Faut pas qu'il s'étouffe avec sa langue !

Notre enseignant commençait à prendre la situation au sérieux. Malgré tous les médecins dans la salle, personne ne savait comment réagir. Heureusement, après quelques minutes, les spasmes s'espacèrent et la crise s'arrêta pour de bon.

– Ça va mieux, diagnostiqua notre prof avec soulagement. Amenez-le à l'infirmerie.

Une fois l'élève problématique hors de vue, monsieur Émard poursuivit comme si de rien n'était. Il monta sur scène pour s'adonner à son activité préférée : nous « apprendre » le métier en jouant chaque personnage à notre place.

– Voilà comment on joue du Molière ! proclama-t-il, en mettant un genou par terre et en levant une main au ciel.

Je n'en revenais pas ! Après ce qui venait de se passer, la pièce était le dernier de nos soucis ! C'est alors que j'aperçus Andréanne, à côté du bureau de monsieur Émard. Elle profitait de la confusion pour consulter ses registres de notes.

– Il faut y mettre du tonus ! conseilla notre prof à un Favreau-Durand toujours muet. De l'émotion, surtout !

J'étais réellement stressé. Cet acteur raté n'était pas du genre à aimer qu'on fouille dans ses affaires. Il ne fallait surtout pas que mon amie se fasse prendre !

– … du panache !

Le regard d'Andréanne défilait à toute allure sur chacune des listes de classe. Enfin, elle arrêta son doigt sur ce qu'elle cherchait. Mais son enthousiasme disparut aussitôt. Elle releva les yeux vers moi et, déçue, secoua la tête de gauche à droite. Premier résultat négatif de notre enquête.

C'était 1-0 pour la Fouine.

II

– Vous allez pas me croire, mais Lebœuf-Haché a de bonnes notes avec monsieur Émard, nous révéla Andréanne à la sortie du cours.

– Quoi ? Il est bon en art dram ? s'exclama Jo.

– Il a peut-être un talent caché, avançai-je.

Avec sa taille, il avait beaucoup d'endroits où en dissimuler…

– Mais notre supposition fonctionne alors ! affirma Jo. C'est évident que ses notes ont été trafiquées !

– Non, ses résultats étaient bons avant que les lettres commencent à être distribuées…, précisa Andréanne.

J'aurais préféré parler de ça à un autre moment, car Lebeau-Dubois était en notre présence. D'ailleurs, même si ce n'était pas l'heure de dîner, il crut bon d'ajouter son grain de sel :

– Peut-être que Francis et monsieur Émard avaient une entente depuis longtemps, avant même que leur projet commence.

Tiens ! Tiens ! C'était la première fois qu'il démontrait de l'intérêt pour cette histoire. Pour porter une accusation, en plus.

Intéressant.

– Ce qui vient démolir notre théorie, c'est que sa dernière note était la pire, renchérit Andréanne.

Ouais… Pas très logique, tout ça. Si monsieur Émard était le responsable des lettres, Francis aurait aussi eu de bonnes notes vers la fin de l'étape. Ma certitude qu'on faisait fausse route se renforçait.

– En voilà au moins un d'éliminé, conclut mon amie.

Durant la pause, un événement piqua ma curiosité : devant nous s'étendait la file d'attente la plus longue jamais observée à l'intérieur des murs de l'établissement. Pire qu'à un concert de Justin Bieber dans une école primaire. Il ne manquait plus que des filles hystériques qui hurleraient devant n'importe quel garçon au toupet dans le visage…

– C'est la file pour l'infirmerie, m'apprit Jo.

Se rappelant qu'il n'avait plus son masque sur la bouche, il le remit avec empressement. Il ajouta ensuite d'une voix étouffée :

– Ils veulent savoir quoi prendre pour guérir.

Pour une fois, les élèves semblaient vraiment malades. Ce n'était pas des excuses pour manquer un cours.

– Bien entendu, répliqua Andréanne d'un ton blasé, on connaît la réponse de l'infirmière : se gargariser la bouche avec de l'eau et du sel…

Un truc infaillible, selon elle. La rumeur voulait même qu'elle ait déjà prescrit ça à un gars qui s'était coupé le bras en deux…

– In-cro-yable ! m'exclamai-je devant une vision surnaturelle.

Je n'en croyais pas mes yeux. Dans la file d'attente se tenait M.-P., complètement méconnaissable. L'ancien objet de mes désirs avait triplé de poids !

– Qu'est-ce qui s'est passé en deux semaines ?! m'étonnai-je, abasourdi.

– Elle a pas supporté sa lettre de la Fouine…, m'expliqua Jo, rempli d'amertume, pensant probablement à celle qu'il avait lui-même reçue.

Ouah ! Même en pleurant pendant quinze jours au-dessus d'un pot de crème glacée, je ne comprenais pas comment on pouvait prendre autant de poids aussi rapidement ! J'eus une bouffée de compassion pour elle, malgré tout ce qu'elle m'avait fait endurer l'an passé. Elle faisait vraiment pitié. J'aurais voulu la réconforter et la prendre dans mes bras.

Avant que je me lance dans une scène digne d'une émission de Claire Lamarche, Andréanne reporta mon attention sur notre petite enquête :

– Alors, qui est le prochain prof sur la liste ?

– Madame Malette, annonça Jo.

Notre prof de français. Un choix logique : il y avait tellement de gens qui coulaient dans son cours qu'on se serait crus à bord du *Titanic*. Et impossible de trouver une personne qui détestait plus ses élèves. Pour elle, l'école parfaite aurait été composée uniquement de profs. Cela ne l'empêchait pas de s'accrocher à son emploi, même si elle avait visiblement dépassé l'âge de la retraite depuis longtemps. Dans son cas, on ne parlait plus d'âge d'or, c'était carrément un retour à l'âge de pierre…

C'est surtout sa belle plume qui avait incité Jo à la choisir. Si quelqu'un pouvait être l'auteur de ces lettres au phrasé complexe, c'était elle. D'ailleurs, c'était ce qui me faisait parfois douter de la culpabilité de Lebeau-Dubois. Les lettres étaient trop bien écrites pour être l'œuvre de quelqu'un de mon âge…

Quand j'entrai dans la classe, madame Malette écrivait au tableau. Avec son fameux gant en plastique. Une autre chose qu'elle haïssait particulièrement dans son métier : la craie. Ne voulant pas se salir les mains, elle était toujours gantée. Lorsque la cloche sonna, elle m'adressa immédiatement la parole de sa petite voix tremblotante de Mère-Grand (juste avant d'être avalée par le Grand Méchant Loup) :

– Monsieur Gravel-Laroche, vous étiez absent lors de la production écrite, la semaine passée.

Je hochai la tête.

– Veuillez prendre la feuille de consignes pour la reprise d'examen.

La feuille en question m'attendait sur son bureau, dans le coin droit de la classe. Fiou ! Je n'aurais donc pas à m'approcher d'elle ni à sentir son parfum « Boule-à-mites-en-décomposition No 5 ». Je me levai pour aller chercher les instructions, et elle poursuivit :

– Quant aux autres, je vais vous donner vos résultats.

Une onde de stress se propagea entre les élèves. Madame Malette avait la fâcheuse habitude de nous nommer tour à tour, de la meilleure à la pire note. J'étais content de ne pas faire partie du lot cette fois. À tout coup, je devais me lever en premier. Quoi de mieux pour renforcer mon statut de *nerd* auprès de mes camarades de classe ?

(Bo-boom, bo-boom)

Quel était ce nouveau bruit étrange qui emplissait mes oreilles ?

(Bo-boom, bo-boom)

Mon cœur ! Il battait à tout rompre. La raison ? Je venais de repérer un objet précieux sur le bureau de la prof : le registre de notes du groupe D, celui de Lebœuf-Haché !

(Bo-boom, bo-boom)

– Premièrement, je suis très étonnée par vos résultats, commença madame Malette.

Si on voulait en savoir plus sur ses notes, c'était le bon moment. Mais je me sentais paralysé. Comment subtiliser le registre sans qu'elle s'en aperçoive ?

(Bo-boom, bo-boom)

Un stress inutile, en plus, parce que ce vol ne servirait pas à grand-chose, selon moi. Mais plus vite j'éliminerais les enseignants de l'équation, plus vite je pourrais amener l'hypothèse « Lebeau-Dubois » sur la table.

(Bo-boom, bo-boom)

– En fait, je ne parviens pas à me les expliquer, continua la prof, perplexe.

Ma main réussit à bouger, hésitante, tremblante.

– Plusieurs personnes ont obtenu exactement le même résultat, renchérit-elle. Ce qui, vous conviendrez, est plutôt louche.

J'étais à deux doigts (l'index et le majeur) de toucher au registre.

(Bo-boom, bo-boom)

– Monsieur Gravel-Laroche !

Je sursautai. Elle m'avait vu !

(BO-BOOM, BO-BOOM, BO-BOOM, BO-BOOM...)

– Vous prenez la feuille, oui ou non ?

– Euh... Oui, oui..., balbutiai-je.

Repéré, je n'osai plus m'emparer du registre. Ma main passa tristement à côté pour ne prendre finalement que les consignes. Au même moment, madame Malette nomma le premier élève :

– Ex-aequo avec plusieurs de ses collègues, et ayant obtenu la note maximale, soit 100 % : Kevin Legrand-Brûlé !

Quoi ? Comment était-ce possible ? Il avait obtenu 100 % dans une production écrite ? Lui qui ne savait pas comment chercher dans un dictionnaire ? Lui qui aimait plutôt y gribouiller : « En cas de feu, laissez brûler » ? Toute la classe était sous le choc, même Kevin. Quand il se leva pour aller chercher sa copie, les élèves se mirent à l'applaudir, incertains. Personne ne me regardait. C'était le moment parfait ! Avec une vitesse qui m'étonna moi-même, je m'emparai du registre, le dissimulai sous ma feuille de consignes et retournai à ma place. Ni vu ni connu.

(Bo-boom, bo-boom)

– Toujours avec 100 % : Sébastien Morand-Voyer !

Je n'en croyais pas mes oreilles. Pas *lui* ! Il était si mauvais en orthographe qu'il se corrigeait toujours avec un dictionnaire de poche, croyant qu'en raison de leur nom, ils étaient spécialement conçus pour lui ! Peu importe. Je devais me concentrer sur les résultats de Lebœuf-Haché. Subtilement, je tournai la première page du registre.

– Aussi avec une note de 100 % : Marco Lepsie !

Dans son cas, la réponse était simple : il avait plagié. Quand il ne dormait pas, Marco copiait. Même l'épitaphe sur sa tombe sera probablement calquée sur celle de son voisin…

– Également 100 % : Jonathan Leroux-Tremblay !

Wow ! Même Jo ! Et ce n'était pas le dernier : presque tous les pensionnaires de l'école avaient une note parfaite. Étrangement, pas les élèves externes.

– Même si j'ai nommé tous ces résultats, termina notre prof, je sais qu'ils sont anormaux.

Une colère sourde grondait dans sa voix. Elle rugit :

– IL NE FAUT PAS ME PRENDRE POUR UNE VALISE !!!

Personne n'osa répondre « Non, madame Malette ». Ce n'était pas le moment de lui faire remarquer qu'avec un tel nom, c'était plutôt difficile...

– Il y a eu de la tricherie, j'en suis sûre. Je n'ai pas encore compris votre petit système, mais comptez sur moi pour le démasquer et vous faire passer un mauvais quart d'heure !

Consultant toujours le registre, je m'approchais de la dernière page. Décidément, le groupe D portait bien son nom : que des notes médiocres... Sûrement un autre groupe qui, selon notre prof, ne participe pas assez (surtout dans les cours de participes passés) et qui trouve que les temps de verbes, ce n'est pas assez simple...

J'atteignis enfin la dernière page et parcourus la colonne de chiffres du registre. Le mystère du jour s'épaississait encore : plusieurs élèves du groupe D avaient également eu des notes miraculeuses à la dernière production écrite. À l'exception des externes, dont Lebœuf-Haché. Madame Malette ne pouvait donc pas être la Fouine. Notre enquête progressait, mais quelque chose d'autre m'intriguait désormais : d'où venaient ces résultats farfelus ? L'école entière était devenue intelligente durant mon coma ou quoi ? Les événements s'additionnaient dans ma tête : des notes incroyables, des lettres étranges, des comportements bizarres, des maladies qui fusaient de toutes parts.

Et cette petite voix intérieure qui me disait : « Ce n'est que le début... »

III

Au son de la cloche du midi, ce fut la cohue totale. L'Halloween était enfin arrivée !!! Tous les pensionnaires se précipitèrent vers les dortoirs pour se costumer, bousculade qui m'empêcha d'annoncer ma découverte à Andréanne. Pas grave : je pourrais toujours lui en parler en mangeant. Et je l'avoue : moi aussi, j'avais hâte d'enfiler mon costume.

Quand je réussis finalement à entrer dans le dortoir, je sortis mon vieux kimono de mon casier. Une relique datant de l'époque où mes parents pensaient que des cours de tae-kwon-do m'aideraient à me défendre. Apparemment, ça n'avait pas été très efficace…

– Tu l'as apporté ! s'enthousiasma Jo. J'avais peur que tu changes d'idée.

Même avec mes manches trop courtes – et mon nombril qui faisait une apparition-surprise dès que je levais les bras –, mon ami était content que j'aie adhéré à son concept. Cette année, on se déguisait en personnages de *Star Wars* ! Pas les nouveaux ; non, les classiques, ceux que mon père écoutait en boucle quand j'étais jeune et qui ont marqué mon enfance. Mon personnage : Luke Skywalker, le héros de l'histoire avec lequel j'avais de plus en plus de points en commun. Moi aussi, le côté sombre de la Force m'interpellait ces temps-ci, en raison de mes frustrations amoureuses et personnelles. Heureusement, je n'aurais pas, comme lui, à combattre mon père, alias Darth Vader. Et personne n'allait m'apprendre qu'Andréanne était ma sœur…

En guise de costume, Jo me présenta une vieille poubelle en plastique.

– Qu'est-ce que c'est que ça ? le questionnai-je, intrigué.

– Mon déguisement ! déclara-t-il, tout fier.

Euh… OK !? Je me souvenais pas qu'une poubelle tenait un rôle dans les films !

– T'as pas pris Yoda ? T'aurais même pas eu besoin de te maquiller ! pouffai-je.

– Ah, ah ! Très drôle ! fit-il. Et toi ? Pourquoi t'incarnes pas plutôt C3-P-A ? Avec ton nom prédestiné et ta grande trappe, t'es pareil comme lui !

Ouch… En plein dans le mille.

– Sans farce, m'expliqua Jo, j'ai choisi R2-D2.

Pour me le prouver, il enfila la poubelle dont il avait percé le fond. Ensuite, il compléta l'incroyable ressemblance avec un casque de vélo et des patins à roues alignées qu'il avait peints en blanc. Terrible.

Autour de nous, tout le monde était affairé à se costumer. Au loin, je voyais même un gars déguisé en E.T. qui parlait au téléphone (probablement pour appeler à la maison). Personne ne se préoccupait de nous. Avec tout le brouhaha qui régnait, c'était le moment parfait pour aborder un sujet délicat.

– Jo ?

À mon ton, il sentit que ça allait être sérieux.

– Quoi ?

– Le jour où j'ai perdu connaissance, à la rencontre des parents…, commençai-je.

– Oui ?

– Eh bien… Euh… Comment ça s'est passé, avec tes parents ? risquai-je, crachant finalement le morceau (de robot).

Jo, alias R2-D2, alias un-gars-qui-a-l'air-bizarre-dans-sa-poubelle, détourna le regard. Repenser à cet événement semblait le déprimer. Depuis la réception de la lettre maudite, mon ami n'était plus le même.

– J'ai pas eu le courage de leur en parler, m'avoua-t-il.

En apprenant ça, je me rendis compte d'une chose : jamais le contenu des lettres n'avait été vérifié. Était-il possible que tout soit faux ? Que la Fouine s'adonnait à ce petit jeu uniquement par pure cruauté ? Peut-être… Mais pourquoi ? De toute évidence, il nous manquait plusieurs pièces à ce casse-tête en trois dimensions, fait de quatre mille morceaux au minimum, et sans plan pour nous aider.

Tandis que nous finalisions nos costumes, une voix s'éleva dans le dortoir :

– Une lettre ! J'ai reçu une lettre !

Pour une telle annonce, le ton était étrangement joyeux.

– Venez voir ça ! s'écria l'heureux élu.

Comme l'ensemble du dortoir, je m'agglutinai autour du destinataire de la missive. Ludovic Laberge-Durivage, un élève qui faisait tout pour avoir l'air du « gars de plage ». D'ailleurs, il avait profité de l'Halloween pour ressortir ses bermudas et sa chemise hawaïenne, qu'il laissait entrouverte (afin de nous montrer l'unique poil de sa poitrine…). Il se racla la gorge et entama sa lecture :

Cher Ludovic Laberge-Durivage,

Ce que les autres ne savent pas, c'est que ta mère est gravement malade.

Sans hésiter, je lui arrachai la lettre des mains pour voir l'écriture.

– Hey ! objecta-t-il.

Lorsque mes yeux s'y posèrent, ce fut la déception totale. Voici à quoi ressemblait la fameuse correspondance :

Chaques soirs, quand tu rentre a la maison, tu l'aides du mieux que tu peut. Voilà pourquoi t'a jamais le temps d'étudier.

À la prochaine !

La Fouine

Aucun doute, il s'agissait d'une fausse : calligraphie différente, absence de style, pas la même formule de salutation. Bourrée de fautes en plus ! Et surtout : il n'y avait rien de très honteux dans cette lettre. Je la donnai à Jo, tandis que Plage-Man faisait des pieds et des mains pour la récupérer.

– Regarde l'écriture, fis-je remarquer à mon ami. C'est pas la même que d'habitude.

– Tu penses ?

Visiblement, Jo n'avait aucun souvenir de la calligraphie de la Fouine. Le choc avait été trop grand pour lui lorsqu'il avait lu sa lettre. Découragé, je jetai ce tissu de mensonges par terre.

– Crois-moi, je sais de quoi je parle, conclus-je en jetant un coup d'œil à Lebeau-Dubois, lequel enfilait une petite veste noire en cuir, sans manches, à l'autre bout du couloir.

Contrairement aux autres, il ne se préoccupait pas de l'arrivée de cette nouvelle lettre. Pas étonnant : il SAIT qu'il ne l'a pas écrite ! Tout de même, c'était incroyable ! Les gens s'envoyaient désormais eux-mêmes des messages. N'importe quoi pour éviter d'en avoir un vrai, avec un réel secret. Comme si la Fouine les oublierait ensuite... Exaspéré par l'absurdité de la situation, je pris mon ami à part et lui dévoilai enfin le fond de ma pensée :

– Écoute, Jo. Je sais que ça va te paraître étrange, surtout avec la petite enquête qu'on mène depuis ce matin mais, d'après moi, ce n'est pas un prof qui est l'auteur des lettres.

Il me regarda, étonné.

– Comment ça ?

– Si l'auteur connaît nos secrets les plus intimes, déclarai-je, ça ne peut être que quelqu'un proche de nous.

Jo fronça les sourcils. L'idée semblait faire son chemin.

– OK. Ce serait qui, alors ?

C'était le moment de jouer le tout pour le tout. Je croisai les doigts, et comptai sur la puissance de notre amitié.

– Je crois que la personne qu'il faut surveiller de près est… Lebeau-Dubois !

Il y eut un court moment de silence. Très court. Ensuite, ce fut l'explosion. Pire qu'une bombe atomique !

– PIERRE-ANTOINE GRAVEL-LAROCHE !

– Chut ! Crie pas !

– EST-CE QUE TU PEUX PENSER À AUTRE CHOSE QU'À TOI-MÊME DES FOIS ?

– Pas si fort ! Tout le monde va t'entendre !

D'ailleurs, quelques personnes nous dévisageaient déjà.

– DES GENS APPRENNENT QUE TOUTE LEUR VIE ÉTAIT UN MENSONGE ET, TOI, TU PENSES JUSTE À RÉGLER TES PROPRES PROBLÈMES AMOUREUX !

– Tu comprends pas…

– T'AS QU'À ALLER LUI DIRE QUE TU L'AIMES ! ÇA VA ÊTRE RÉGLÉ, UNE FOIS POUR TOUTES !

– C'est pas ça…

– NON, ÇA SUFFIT… VA-T'EN !

Il n'y avait rien à ajouter. Comment lui expliquer que ce n'était pas parce que Lebeau-Dubois sortait avec Andréanne que je le soupçonnais ? Ce n'était pas de la jalousie. Du moins, pas juste ça. Mon ami ne voulait rien entendre. Je n'avais pas le choix : j'allais devoir lui prouver mes dires, seul. Si je ne voulais pas que notre amitié se termine comme l'Étoile Noire dans *Star Wars* après son explosion… Je pris mon sabre laser et me dirigeai vers la cafétéria, la mine basse.

La Force était loin d'être avec moi…

En franchissant la porte, je la vis. Elle s'en était souvenue ! Debout entre deux gars qui avaient eu l'incroyable originalité de se déguiser en filles, elle semblait n'attendre que moi, fidèle au concept.

Ma princesse Leia !

En plus, Lebeau-Dubois n'était pas encore arrivé. Sans attendre une seule seconde, j'allai la rejoindre. Arrivé à sa hauteur, j'eus le souffle coupé. Même avec une coiffure ridicule – deux tresses enroulées de chaque côté de la tête –, Andréanne était époustouflante. Retrouvant enfin ma respiration, je prononçai les premiers mots qui me vinrent en tête :

– Il fait beau dehors, hein ?

– Euh… oui…

Pitoyable. Est-ce que j'étais vraiment en train de parler du temps avec Andréanne ? Voyant que j'étais trop nouille pour ajouter quoi que ce soit d'autre, elle brisa ce silence inconfortable :

– Il te fait bien ton costume !

– Toi aussi…

On se tut à nouveau. J'étais trop gêné. Pour ne pas le montrer, je m'emparai d'un plateau. À l'occasion de l'Halloween, la cafétéria avait un menu spécial : ragoût à la citrouille. Je récupérai mon assiette dans laquelle gisait un magma totalement infect. Le menu du jour aurait plutôt dû se lire ainsi : cervelle d'extra-terrestre bouillie, accompagnée de son coulis de reflux gastrique, gracieuseté d'un ours qui aurait mangé Youppi pour déjeuner.

– Bon appétit ! déclara la vieille dame derrière le comptoir.

En souriant, elle nous rappela qu'elle avait probablement échappé son dentier dans la marmite. Peut-être était-ce en raison de ce ragoût ragoûtant, je ne sais pas. Mais toujours est-il que ce moment me sembla idéal pour me vider le cœur et lui avouer mes sentiments :

– Andréanne… je…, commençai-je.

Cependant, je n'allai pas plus loin. Encore une fois…

– Oui ? demanda-t-elle. Qu'est-ce qu'il y a ?

Sa voix trahissait un nouvel espoir. Elle semblait deviner que j'allais aborder un sujet délicat. Je n'arrivais pas à me lancer. Pour me rattraper, je tentai ceci :

– J'ai vu les notes du groupe D. Madame Malette ne peut pas être la Fouine.

– Ahhh…

Quelque chose me disait que sa déception n'était pas uniquement liée à l'enquête. Mais je n'eus pas le temps de me racheter : on entendit derrière nous des « Hey ! » et des « Ça va pas la tête !? ». C'était Jo. Avec son costume renversant, il bousculait tout le monde sur son passage. Et il était accompagné de… Lebeau-Dubois ! Grrrr ! Notre amitié était vraiment en péril. À ce moment précis, je sentis qu'une Grande Muraille venait de se dresser entre mon ami asiatique et moi…

– Andréanne, dit Jo à son arrivée, semblant toujours aussi fâché contre moi, P.-A. voudrait t'avouer quelque chose.

Elle se tourna vers moi, les sourcils froncés.

À mon tour, je jetai un coup d'œil fâché vers Jo.

Jo détourna le regard vers Andréanne.

Celle-ci m'observa à nouveau.

Un vrai western de regards ! Le Pas-Beau, la Belle et le Fatigant. Ça aurait pu durer comme ça pendant des heures. Il ne manquait plus que Clint Eastwood et une musique remplie de coup de fouets et de hennissements, du genre : « Ouuuuh-wi-ouuuhhh-wi-ouuuuhhh ! »

Mon meilleur ami voulait que j'admette mon amour pour Andréanne… Moi aussi. Mais pas comme ça. Pas en présence de mon ennemi juré ! Je devais me sortir de ce pétrin.

– C'est plutôt Alex qui a quelque chose à vous avouer !

Toutes les têtes se tournèrent vers Lebeau-Dubois.

– Euh… pourquoi ? demanda-t-il, confus.

C'était le moment de leur parler de la calligraphie identique. De leur faire comprendre qui était le vrai coupable derrière ces lettres. Toutefois, avant que j'ouvre la bouche, un objet collé sous mon plateau s'en détacha. Une enveloppe. Oh non !!!!! La Fouine avait de nouveau frappé.

Et j'étais sa nouvelle victime !

IV

Comment la Fouine pouvait-elle savoir que je prendrais ce plateau-là, précisément ? C'était impossible ! Il était malheureusement trop tard : l'enveloppe gisait à mes pieds. Elle m'attendait. Moi. L'ouvrir était la dernière chose que je voulais faire au monde. Pourtant, un étrange magnétisme s'en dégageait. Comme si une voix m'appelait. Mais… attendez une seconde ! Quelqu'un m'interpellait pour vrai :

– P.-A. !

C'était Jo.

– Oui ?

– Ouvre-la pas. Tu vas te sentir bien mieux sans en connaître le contenu. Crois-moi…

Il avait raison. Mais je ne pouvais pas résister. Comme si l'Empereur Palpatine, cet ennemi juré, contrôlait mes gestes par la pensée. Lentement, je me penchai et, avec hésitation, mis la main dessus. La lettre me brûlait les doigts et maintenant qu'elle était en ma possession, je *devais* la lire. Vite ! Je la décachetai avec énervement pour y jeter un coup d'œil.

Mon cœur s'arrêta.

Ma lecture terminée, je tendis la feuille à Jo, malgré son contenu. Tout comme il l'avait fait avec moi : par amitié. Il la lut et releva la tête, les yeux remplis de compassion, mais je pouvais aussi y apercevoir une question. Sachant ce qu'il voulait, j'aurais dû dire non. Logiquement. Toutefois, je n'avais plus la Force de me battre… Quel Jedi minable, je faisais ! J'acquiesçai de la tête à sa requête silencieuse. Il passa la lettre à Andréanne.

Voici ce qui l'attendait :

Mon cher Pierre-Antoine Gravel-Laroche,

Comme tous tes compatriotes, tu as un secret.

Récemment, tu as été atteint d'une maladie. Celle-ci porte un nom : l'amour.

> *Aveuglé par la jalousie, paralysé par ta lâcheté, tu ne réussis pas à dévoiler tes sentiments à l'élue de ton cœur.*
>
> *Mais voilà, le moment est venu. Il faut que tout le monde le sache : tu es amoureux de ton amie, Andréanne Carrière-Desroches.*
>
> *Bonne journée !*
>
> *La Fouine*

Troublée, elle replia la lettre.

– Est-ce que c'est vrai ?

J'avais de la difficulté à interpréter le ton de sa voix. Était-ce de la tristesse ? De la colère ? J'étais incertain de ce qu'elle voulait entendre. Mes lèvres restaient paralysées.

– Pourquoi tu me l'as pas dit plus tôt ? demanda-t-elle.

Ce coup-ci, c'était évident : j'entendais la déception dans sa voix. J'aurais tellement aimé qu'elle l'apprenne d'une autre manière... Soudain, une colère immense m'envahit. Tout ça était de la faute de Lebeau-Dubois ! Il était temps qu'il paye ! Que tout le monde sache qui il était vraiment !

– Tu ne remarques rien à propos de la calligraphie ? la questionnai-je.

Jo me prit par l'épaule.

– Recommence pas, P.-A.

Dans son costume-poubelle, il retrouvait cette étrange violence qui l'habitait depuis quelques semaines. Le peu de sympathie que j'avais ranimée chez lui venait de disparaître d'un seul coup. Pourquoi défendait-il ainsi Lebeau-Dubois ? Leur nouvelle amitié était-elle plus forte que la nôtre ? Possible… Mais attendez que je leur dévoile la vérité !

– Qu'est-ce qui se passe, les gars ? s'inquiéta Andréanne, sentant la tension naissante entre nous.

– Tu remarques *vraiment* rien de spécial par rapport à la calligraphie ? répétai-je.

Jo me mit la main sur la bouche, exaspéré de voir que je m'y enfonçais le pied jusqu'aux amygdales.

– Non, dit-elle, confuse. Pourquoi ?

Elle ne voyait donc pas ? C'était pourtant clair !

– Montre-la à Alex ! réussis-je à articuler entre l'annulaire et l'auriculaire de Jo.

– Euh... T'es certain que c'est ce que tu veux ?

Elle se demandait vraiment quel maringouin éléphantesque m'avait piqué. Devant mon regard insistant, elle obtempéra. Je me dépris enfin de la poigne de R2-D2.

– L'écriture ne te dit rien ? demandai-je à Lebeau-Dubois d'un ton accusateur. Pourtant, ça devrait : c'est la tienne !

– P.-A., t'es ridicule ! s'exclama Andréanne.

Jo tenait son casque à vélo à deux mains, découragé par mon attitude.

– Écoute-le pas, ajouta-t-il avec dégoût.

Mon rival semblait sincèrement troublé. Il regardait la lettre comme s'il s'agissait d'une apparition. Avoir lu une prophétie annonçant sa propre mort, il aurait probablement fait la même face.

On entendit alors une explosion. Suivie d'une deuxième. Et d'une troisième. Le tout accompagné d'une odeur de soufre et d'œufs pourris. Cette fois, ça ne provenait pas du menu de la cafétéria.

– Des bombes puantes ! s'égosilla un élève au nez fin. Sauve qui pue !

Tout le monde se rua vers la sortie. Je fus bousculé et traîné malgré moi par le troupeau. Voulant aller à contresens, je fus renversé. Tout le monde me piétinait. Si je ne réussissais pas à me relever, mon âme irait rejoindre au ciel celle d'Obi-Wan Kenobi d'un instant à l'autre… La meute entière me passa sur le corps, puis s'éloigna. Je me redressai, avec mon kimono blanc qui avait pris une nouvelle teinte : gris-plancher-d'école. La horde m'avait entraîné jusqu'à la limite de la cafétéria. Un pas de plus, et je pouvais en sortir. À voir le visage de mes (ex ?) amis qui avaient échappé à la ruée, et leurs yeux déçus par mes accusations, c'était tout ce qu'il me restait à faire.

Ma chère Andréanne…

Pourquoi était-ce si compliqué entre nous ? Mes sentiments étaient simples, pourtant. Je l'aimais. Un point, c'est tout. Mais il avait fallu que Lebeau-Dubois se mêle à notre histoire… Et mon ennemi ne pouvait pas avoir mieux choisi son costume. Je venais tout juste de réaliser qu'il s'était déguisé en Han Solo. Et j'aurais dû m'en souvenir : c'est toujours lui qui finit avec la fille, pas Luke Skywalker…

Combien de temps déambulai-je ainsi dans les corridors, tel un somnambule cadavérique ? Aucune idée. Excités par la fête d'Halloween, emballés par les bonbons, les élèves que je croisais me fonçaient dessus sans cesse. Tout m'était égal. Rien ne m'intéressait. Ni le concours de costume, ni celui de la plus belle citrouille, ni la maison hantée, ni la danse… Rien. En plus, les élèves manquaient vraiment d'originalité cette année : les gars s'étaient déguisés en docteur pour être en harmonie avec leur masque chirurgical tandis que, du côté des filles, c'était le festival de l'infirmière...

C'est alors que je me cognai le nez contre le buste d'un grand gaillard. Relevant les yeux, j'aperçus une chauve-souris sur sa poitrine, symbole du « chevalier noir » qui décorait parfois le ciel de Gotham City, mais qui devait maintenant être imprimé dans mon front.

– Tu veux te batt', *man* ? me demanda ce sosie de Bruce Wayne.

Oh non ! Ne manquait plus qu'eux... La gang de *Mister* Rouquin ! L'un d'eux, déguisé en Jésus, se faisait craquer les jointures. À première vue, il voulait que je lui tende la joue droite ET la gauche.

– Tiens, tiens ! Mon souffre-douleur préféré ! fit Chevelure-Automnale, qui avait opté pour un costume de vampire (il avait visiblement une dent contre moi...).

J'aurais bien aimé trancher quelques membres avec mon sabre laser, mais ce n'était pas le moment de chatouiller des armoires à glace avec mon épée en plastique. « Fuir, ta seule option est ! », me dit mon Yoda intérieur.

Avec le peu de combativité qu'il me restait, je courus le plus vite que je pus. Ce n'était pas suffisant : ils allaient me rattraper si je comptais seulement sur mon endurance de rat de bibliothèque asthmatique. Je pris donc la première porte qui s'offrit à moi, espérant y trouver refuge.

Le local de madame Malette.

Surpris, je pénétrai dans une classe complètement transformée. De longues draperies orientales pendaient du plafond. Projetant une lueur rougeâtre, les néons étaient recouverts d'un plastique coloré. Une odeur d'épices flottait dans les airs.

– Entrrrez, jeune homme.

Madame Malette, roulant ses « r » pour l'occasion. En plus, elle avait un foulard sur la tête et trois mille bracelets tape-à-l'œil aux poignets.

Le parfait stéréotype de la diseuse de bonne aventure. À mon arrivée, elle frottait une boule de cristal dont s'échappait une légère fumée.

– Je vous en prrrie, prrrenez place.

Derrière moi, j'entendis un fracas épouvantable. Mes poursuivants avaient foncé dans la porte que je venais de refermer. Après s'être obstinés un moment derrière celle-ci pour savoir qui entrerait en premier, ils tournèrent la poignée. J'étais cerné !

– Oui ? fit madame Malette en voyant le vampire qui voulait que ma vie aille de pire en pire.

– Oh rien ! On fait juste accompagner notre ami, rétorqua ce dernier d'une voix se voulant la plus innocente possible.

J'y décelai malgré tout une menace fantôme…

– Je suis désolée, trrrès cherrrr, répondit la voyante d'un jour, je ne prrrends qu'un seul client à la fois.

– Mais…

– Ferrrmez la porrrte derrrière vous !

Le ton était catégorique. Mon intimidateur favori ne pouvait pas répliquer. Frustré d'avoir manqué son coup, il obéit. Juste avant de sortir, il me lança un regard qui glaçait le sang. Je ne perdais rien pour attendre…

– Bon, où en étions-nous ? poursuivit madame Malette.

Et puis quoi encore !? Elle voulait vraiment me lire ma bonne fortune ? Elle prenait sûrement plaisir à son activité d'Halloween, mais j'avais mieux à faire !

– Bon bien, moi, je vais y all…

– Assoyez-vous, m'interrompit-elle avec autorité.

Demandé aussi gentiment, comment refuser ?

Je pris place sur la chaise qui faisait face à son bureau. Madame Malette ferma les yeux, mit les mains au-dessus de sa boule de cristal et prit de grandes inspirations. C'était ri-di-cule. La seule chose qu'elle aurait pu prédire avec certitude : des mauvaises notes pour mes camarades de classe à la prochaine production écrite…

– Le danger te guette, finit-elle par décréter après bien des simagrées.

Noooon, sans farce ? Wow, il fallait vraiment avoir des dons spéciaux pour voir ça… Pfff !

– Tu vis de grrrands changements dans ta vie.

Entre ça et un biscuit chinois, je ne voyais pas la différence…

– Donne-moi ta main.

N'importe quoi. Malgré tout, je la lui tendis et elle tenta de lire mon avenir dans les lignes de ma paume.

– Ne t'en fais pas, tous tes malheurs serrront terrrminés aujourd'hui.

Pourquoi ne pas prédire ma mort tant qu'à y être ?

– Voilà, c'est tout, conclut-elle dramatiquement.

Quoi, déjà ? Sans me tirer aux cartes ? Où était passée la planche de Ouija pour qu'on communique un peu avec les morts ? J'étais prêt !

Madame Malette retrouva tout à coup son sérieux :

– Peut-être devrais-tu emprunter cette seconde porte pour sortir, décréta-t-elle sans la moindre trace de roulement dans la voix. Je crois que ce serait plus prudent.

Elle me déverrouilla cette issue qui menait vers la salle des enseignants. J'étais sain et sauf. Grâce à madame Malette, je pouvais me faire la malle ! Dire que c'était la prof qui haïssait ses élèves qui me donnait ce coup de pouce !

– Ne t'en fais pas, me rassura-t-elle avant que je parte, je vais m'occuper de tes petits « amis ».

Ah ! Il me semblait bien, aussi, qu'elle ne résisterait pas à la tentation de punir quelques élèves…

Lentement, j'entrai dans la salle des profs, un endroit qui m'apparaissait aussi mystérieux qu'une caverne préhistorique. Les lumières étaient éteintes. Tous les bureaux trônaient dans la salle, comme autant de corps morts dans une morgue. L'endroit paraissait vide. Je m'avançai à pas de loup afin de n'ameuter personne, avec l'impression d'être autant à ma place qu'un renard dans un poulailler.

Je perçus alors un mouvement dans la pièce. D'instinct, je me cachai derrière un bureau, prêt à toute éventualité.

Était-il possible que la bande de Citrouille-Poilue m'ait déjà retrouvé ?

V

À la dérobée, je jetai un coup d'œil en dehors de ma cachette. Entre une pile d'examens et une vieille tasse de café, je vis une forme se déplacer. La taille me suggéra qu'il s'agissait d'un adulte. Fiou ! Ce n'était donc pas Casque-de-Cheetos. Une chance : je n'avais pas tellement envie de terminer mon entretien avec un vampire…

Toutefois, mon instinct m'empêcha de me relever. Je venais de reconnaître la personne en question : monsieur Réjean ! Des souvenirs rejaillirent de ma brume comateuse. Des images m'assaillaient. Ça me revenait ! Juste avant ma perte de conscience, mon prof avait laissé sous-entendre à mes parents que mon comportement était inacceptable. Ensuite, il avait parlé seul à seul avec mon père… Mais pourquoi avait-il inventé tout cela ?

Au loin, je l'apercevais qui cherchait quelque chose. Nerveux, il ne semblait pas trouver l'objet de ses désirs. Il se dirigea ensuite vers un téléphone. Avant de composer le numéro, il lança quelques regards suspects par-dessus son épaule. Je me repliai rapidement derrière mon bureau. Il ne m'avait pas repéré, une chance. Je l'entendais maintenant chuchoter à son interlocuteur. Décidément, le comportement de monsieur Réjean était plutôt louche. Sa conversation terminée, il prit une petite valise dans son armoire puis sortit de la classe d'un pas empressé.

Tout s'éclairait maintenant ! Mes amis avaient eu raison sur toute la ligne ! Depuis le début, en plus… J'aurais dû les écouter, au lieu de me les mettre à dos en raison de ma jalousie. Les mensonges proférés par monsieur Réjean à mes parents, son attitude suspecte, le sourire esquissé par Lebœuf-Haché alors qu'il était sur le point d'être « puni » par notre prof de maths… J'en étais désormais certain : le complice de Francis était bel et bien un enseignant !

Subtilement, je sortis à mon tour de la salle des profs. Objectif : espionner monsieur Réjean et le suivre jusqu'à ce qu'il confie une nouvelle lettre à Lebœuf-Haché. Il ne me manquait plus que des jumelles, des lunettes fumées, un walkie-talkie, un costume tout noir… Bref, il me manquait tout. Dans ma tête, une chanson se mit à jouer pour m'encourager : « Mission *Possible* » (je voulais croire en mes chances de réussite). Pour me rapprocher de monsieur Réjean qui marchait plutôt vite, je longeai les murs, gardant un profil bas. Soudain, on me tapota l'épaule.

– Qu'est-ce que tu fais, P.-A. ?

Zut ! J'étais découvert ! Par Pierre-Étienne Courtemanche-Allaire, en plus ! L'exhibitionniste du collège. Cette fois, c'était mon tour de se faire prendre les culottes baissées…

– Chut ! lui balançai-je pendant qu'il m'emboîtait le pas. Tu vas nous faire repérer !

Il me jeta un regard étrange. Pourtant, c'est moi qui aurais dû le faire à la vue de son costume d'Adam : une feuille, un caleçon beige et une pomme dans la main. Les profs acceptent vraiment n'importe quoi à l'Halloween…

En raison de l'absence de mes meilleurs amis, je ressentis le besoin de lui demander :

– Voudrais-tu m'aider ?

Même si on était brouillés depuis moins d'une heure, je m'ennuyais déjà d'Andréanne et de Jo. Vraiment. Au point de quémander un coup de pouce à Courtemanche-Allaire. Eh misère…

– Euh… Ève Dujardin-Deden m'attend à la danse d'Halloween…, bredouilla-t-il avec l'air de se demander si j'étais tombé sur la tête.

C'était le dernier de mes soucis : monsieur Réjean venait de tourner à gauche pour prendre un autre couloir. Je n'avais plus une seconde à perdre !

Parvenu à l'angle du corridor, un rapide coup d'œil me révéla ma pire crainte : ma cible avait disparu. Pourtant, il ne pouvait pas être allé bien loin, puisqu'il s'agissait d'un cul-de-sac. À moins qu'il ne soit entré dans la maison hantée qu'avait aménagée l'école dans la bibliothèque ? Hum… pourquoi avoir choisi cette curieuse destination ? Si je voulais la réponse, je devais y entrer à sa suite. Pour compliquer ma mission, une longue file d'élèves attendaient pour accéder à l'attraction. C'était bien la première fois qu'on faisait la queue devant cette porte !

Le temps jouait contre moi. J'utilisai donc un bon vieux truc qui avait fait ses preuves : faire croire qu'on rejoint quelqu'un qui se trouve au tout début de la file. Ainsi, je bousculai quelques personnes, dont :

1. l'ennemi juré de Batman ;

– Hey !

– Tasse-toi de là, Joker, j'ai pas le cœur à rire !

2. un tueur avec un masque de hockey ;

– On se calme !

– Pffff ! Carey Price me ferait plus peur…

3. et un élève déguisé en Hellraiser, avec des aiguilles plantées dans le crâne.

– Relaxe, chose !

– Va jouer à l'acupuncteur plus loin !

Contre toute attente, je réussis à dépasser toutes les têtes sans me faire arracher la mienne.

Et j'entrai dans l'antre de l'horreur…

– Mouaha aha aa aha ahaha !

Un rire démoniaque m'accueillit. Ce fut la seule chose qui me souhaita la bienvenue, d'ailleurs. On n'y voyait rien. Obscurité totale. Visiter les fonds marins avec un scaphandre rempli d'encre de pieuvre aurait fait pareil. Où étaient les poissons abyssaux avec une lampe dans le front quand on en avait besoin ? D'une seconde à l'autre, je m'attendais à croiser le monstre du Loch Ness. Je me mis à tâtonner à l'aveuglette, avec la même assurance que Stevie Wonder montrant la direction à Ray Charles. Je posai la main sur une espèce de rampe. Ouach ! Quelle était cette substance visqueuse qui me couvrait la main ?

Aaaaaaaaaaaaaahhhhhhhhhhhh !

On venait de me toucher la jambe !

– Mouah ah ah ah ah !

Des mains sortaient de partout pour m'attraper. En guise de fond sonore, on avait démarré une tronçonneuse. Le massacre n'était pas bien loin. Il fallait que je sorte d'ici ! Malgré tout, je continuai d'avancer et trouvai enfin une issue, recouverte de lanières en caoutchouc noir pour ne pas laisser la lumière pénétrer dans la pièce. J'écartai les bandes et passai dans une la salle adjacente.

– Approchez-vous, très cher.

(Krrrouuuuuh, krrraaaaaaah)

La voix de la bibliothécaire. J'aurais pu la reconnaître entre toutes. Avec son asthme, on aurait dit que Darth Vador faisait face au piètre Skywalker que j'étais.

– Pour sortir d'ici (krrrouuuh, krrraaaaah), il faut trouver la clé. Vous devez la prendre (krrrouuuh, krrraaaaah) dans le bon bocal.

Elle m'attrapa le poignet et me tira vers ce qui devait être une table. Sur celle-ci, je repérai trois récipients du bout des doigts. Le but du jeu : y plonger la main pour m'emparer de la fameuse clé.

Dans le premier bocal, de l'eau. Avec des OFNI (objets flottants non identifiés). J'en touchai un. Eurk... On aurait dit des yeux. Mais pas de clé. Ce n'était pas le bon pot. Je m'étais mis le doigt dans l'œil.

Dans le second, la matière était plus solide. C'était spongieux, de forme arrondie, avec des veinures à la surface. Dégueu ! On aurait dit de la cervelle. Mais impossible de creuser davantage le cerveau des doigts. Il n'y avait rien de caché là...

La clé se trouvait donc dans le troisième bocal. Mais qu'est-ce qu... C'était atrocement répugnant. J'avais l'impression de palper des boyaux visqueux. J'enfonçai ma main dans trois tonnes d'intestins (ce qui était loin d'être « trippant », croyez-moi...). Parmi les viscères, je m'emparai enfin d'un objet solide, le fruit de ces entrailles poisseuses : la clé !

– Bravo ! (krrrouuh, krrraaaah) Vous pouvez maintenant quitter cette salle (krrrouuuh, krrraaaaah).

J'obtempérai sans me faire prier. Si je voulais découvrir ce que monsieur Réjean était venu faire ici, il fallait le rejoindre au plus vite ! Toutefois, en déverrouillant la porte avec la clé engluée, j'eus une petite surprise : ce n'était pas encore la sortie. Arrgghhhh ! Au moins, celle-ci ne devait pas être bien loin puisqu'une faible lumière commençait à poindre. Peu à peu, mes yeux s'habituèrent. Je voyais maintenant un élève. Un gros élève. Lebœuf-Haché ! Que faisait-il ici ?

– Si ce n'est pas mon grand ami, P.-A. ! railla-t-il en me voyant.

Je n'aimais pas son ton. Vraiment pas. Déguisé comme le nain Gimli du *Seigneur des Anneaux*, il rigolait dans sa barbe en agitant sa hache d'une manière plutôt menaçante.

– Il te reste une dernière épreuve avant de sortir, m'annonça-t-il.

Quelle idée avais-je eue de suivre monsieur Réjean dans cet endroit ? Un guet-apens, voilà dans quoi je m'étais jeté sans réfléchir !

– Elle est assez simple, reprit Lebœuf-Haché. Tu dois choisir un bonbon parmi les trois qui sont cachés sous ces noix de coco.

Avec sa lampe de poche, il éclaira trois moitiés de noix de coco posées sur une table.

– L'un de ces bonbons te rendra invincible pour le reste de la journée ; l'autre triplera ton énergie ; et le dernier te sera mortel.

Blablabla... Est-ce qu'on pouvait en finir, oui ou non ?

– Choisis bien, conclut-il sur un ton énigmatique.

Il se mit ensuite à mélanger rapidement les coquilles.

– Alors, quel est ton choix ?

Je pointai n'importe lequel. Celui du milieu, tiens. Lebœuf-Haché fit un sourire. Un sourire déplaisant.

– Excellent.

Ce qui m'attendait ressemblait à des « Rockets », ces petits bonbons qui ont l'apparence de pilules. Les favoris de mon père. Les seuls qui ne restaient pas toute l'année dans mon sac de bonbons d'Halloween, car il s'empressait de les manger. J'aurais préféré des « Nerds » mais, bon, dans mon cas, ça aurait pratiquement été du cannibalisme... Voulant quitter cet endroit au plus vite, je n'avais qu'une seule option : les avaler d'un coup.

– Et maintenant ? dis-je, la bouche pleine.

– N'oublie pas de lire ce qui est écrit sur le papier d'emballage pour connaître ton sort.

Comme si je n'avais que ça à faire ! Ses histoires de friandises « spéciales » me laissaient complètement indifférent. Sans m'en préoccuper davantage, je jetai le papier dans la première poubelle venue et sortis.

À l'extérieur, mon hypothèse se confirma : monsieur Réjean était parti depuis belle lurette. S'il était entré dans la maison hantée pour me semer, son plan avait fonctionné à merveille. En plus, la sortie de l'attraction aboutissait dans la salle principale où se tenait la danse. Il fallait absolument que je le retrouve. Pour partir d'ici, un nouveau défi m'attendait : traverser un tas de zombies se déhanchant sur la chanson *Thriller*.

VI

Pour éviter ces cadavres ambulants, je tentai quelques pirouettes à la Michael Jackson. Mais voilà… J'étais maintenant coincé au milieu de la masse. Aussi chaude qu'un sauna, aussi nauséabonde qu'un marécage. Bra-vo. Comment sortir de cette impasse ?

Je remarquai alors le comportement étrange des élèves m'entourant. D'accord, ce genre d'événement laisse souvent place à des débordements de joie mais, là, ça dépassait l'entendement. Vous ne me croyez pas ? Et si je vous disais qu'un gars déguisé en lapin qui étouffait dans son costume – communément appelé un chaud lapin – avait décidé de le déchirer en mille morceaux ? Un second, déguisé en Spiderman, levait les mains au ciel et criait sans arrêt « Toile ! » (il avait probablement une araignée au plafond…). Une jolie fille déguisée en Barbie voulait danser un *slow*, mais se faisait repousser par toute la gent masculine (personne ne devait s'appeler Ken…). Bref, c'était carrément débile.

Après des contorsions dignes du Cirque du Soleil, je parvins finalement à me dégager et à quitter cet après-midi des morts-dansants pour sortir de l'école.

La lumière du jour m'aveugla, mais peu à peu, ma vision se rétablit. C'est là que j'aperçus… monsieur Réjean ! Quelle chance inouïe ! Il se dirigeait vers la Forêt magique. Qu'allait-il faire là ? Plus déterminé que jamais, je me dirigeai vers le boisé.

– Hey, toi ! Que fais-tu en dehors de l'école ?

Oh oh… Je reconnus tout de suite ce crâne luisant au soleil : Monsieur Net, prêt pour le grand nettoyage ! D'ailleurs, il me regardait comme si j'étais une tache. Une toute petite tache à éliminer… Je n'avais plus le choix : je devais prendre la poudre d'escampette ! Sans faire ni une ni deux (ni deux mille deux cent vingt-huit, d'ailleurs), je mis mes mollets à l'épreuve et décollai dans un nuage de fumée vers la forêt.

– Reviens ici ! cria le surveillant en se lançant à ma poursuite. Attends… pffff… que je t'attrape… pffff… !

Sa voix présentait déjà des signes de fatigue. J'allais peut-être réussir à le semer. Témérairement, je m'enfonçai dans ce labyrinthe d'arbres. À toute vitesse, j'enjambai les roches et les troncs d'arbres morts qui se mettaient en travers de mon chemin. Je repoussai des mains les buissons et les branches meurtrières. Je devais tout de même faire attention : ce n'était pas le moment de me retrouver avec un œil au bout d'une branche, pendouillant telle une guimauve au-dessus d'un feu de camp. Par chance, mes énormes lunettes me protégeaient (c'était bien la première fois qu'elles servaient à autre chose qu'à me ridiculiser…). Derrière moi, les bruits signalant la présence de Monsieur Net s'éloignaient.

Je fus alors pris d'un nouveau malaise. Le décor se mit à tourner autour de moi : un arbre, une roche, un buisson ; un arbre, une roche, un buisson. De plus en plus vite. Je m'assis sur le premier tronc d'arbre venu. Cette forêt avait tout un effet sur moi ! Pourquoi étais-je malade chaque fois que j'y mettais les pieds ? En tentant de rependre mon souffle, un puissant mal de cœur m'envahit.

Une brindille craqua tout près. Monsieur Net ! Il m'avait retrouvé. Vite ! Je devais me cacher ! Tant bien que mal, je me glissai dans un tronc d'arbre pourri.

Il était juste à côté de moi. En allongeant le bras, j'aurais pu toucher ses souliers (des « Crocs » avec chaussettes blanches, très viril pour un monsieur muscle...). Il regardait partout autour de lui, comme s'il sentait ma présence. Pour ma part, je continuais à frissonner de fièvre. Si je ne me maîtrisais pas, j'allais finir par attirer son attention.

Mon esprit sembla alors quitter mon corps. Par je ne sais trop quel phénomène, j'assistai à la scène de l'extérieur, à la manière d'une caméra.

1. EXT. FORÊT MAGIQUE. APRÈS-MIDI.

Monsieur Net scrute les alentours, à la recherche de P.-A. Gros plan sur ses yeux menaçants, suivi d'un autre sur ses poings qui se serrent.

J'assistais au tournage de ma propre histoire ! C'était complètement surréaliste. Inexplicablement, la suite se déroula comme dans un film :

MONSIEUR NET

(avec de la colère dans la voix)

- Je sais que tu es là.

Plan d'ensemble. Monsieur Net est à quelques centimètres de P.-A. Celui-ci se recroqueville davantage.

MONSIEUR NET

(adoptant un ton rusé)

- Si tu te rends maintenant, je serai clément.

Gros plan sur un de ses pieds qui passe devant le visage de P.-A. Celui-ci retient son souffle.

P.-A.

(voix off)

- Oh non ! Ça y est : je suis cuit. Le sosie de Terminator va me réduire en bouillie avec sa poigne de cyborg...

Plan moyen. Monsieur Net se rapproche de l'endroit où P.-A. est dissimulé et prend un air extrêmement menaçant. D'une seconde à l'autre, il va l'apercevoir. Gros plan sur le visage de P.-A. On voit une goutte de sueur poindre sur son front et glisser le long de sa joue.

Soudain, un bruit hors champ attire l'attention de Monsieur Net. La caméra fait un panoramique vers la droite, d'où provient le bruit. Celui-ci se répète. La caméra zoome dans cette direction, à la recherche de l'origine des craquements. Plan de dos : Monsieur Net part dans cette direction.

MONSIEUR NET

(jubilant)

- Je te tiens !

P.-A.

(voix off)

- Ouf... Sauvé !

Mon esprit regagna mon corps, aussi brusquement qu'il l'avait quitté. Que m'arrivait-il ? Je tentai de me relever, mais c'était tout un défi dans mon état. Avec précaution, je me dirigeai vers la clairière, l'endroit où je pensais pouvoir trouver monsieur Réjean. Je ne me souvenais plus exactement de la piste à suivre, mais je ne pouvais pas rebrousser chemin. Pas maintenant. Il fallait élucider ce mystère. À destination, mon hypothèse se révéla juste : monsieur Réjean était là. Accroupi, il regardait quelque chose dans sa valise. Un bruit se fit alors entendre derrière moi. Je me retournai pour en découvrir la source, mais lorsque je reportai mon attention vers la clairière, mon prof de maths s'était volatilisé. Comme Lebœuf-Haché ! Impossible… Comment faisaient-ils pour disparaître ainsi ?

Quittant mon refuge végétal, je me postai à l'endroit où je l'avais aperçu pour la dernière fois. De nouveau, une attaque de vertige m'assaillit. Je n'arrivais plus à me retenir. Ma nausée était plus forte que moi. Je tombai à genoux et me vidai l'estomac. N'ayant presque rien mangé, je reconnus aussitôt les trucs multicolores qui gisaient devant moi : les « Rockets ». Une idée folle me traversa l'esprit : et si ce n'était pas la Forêt magique qui me rendait malade ? Mais plutôt les bonbons ? La dernière fois que j'avais mis les pieds ici, j'avais avalé des dizaines de soi-disant « Life Savers ». Manger des friandises n'est pas très bon pour la santé, je sais, mais au point de me donner des sueurs, des convulsions et une perte de conscience ?

Les paroles de Francis me revinrent en tête : « Et le dernier te sera mortel »…

VII

Que faire ? Résoudre le mystère de monsieur Réjean et de la Fouine ? Ou celui des bonbons ? Ou les deux ? Pouvaient-ils être liés ? Je me rappelai alors l'emballage des « Rockets », que j'avais jeté dans la poubelle. Francis m'avait dit de ne pas oublier de lire le message qui s'y trouvait avant de m'en débarrasser. Contenait-il la réponse à mes interrogations ? Je devais le récupérer. Par contre, je ne pouvais pas partir tout de suite. Pas avant d'avoir donné une dernière chance à ma mission concernant monsieur Réjean. Je décidai donc de compter jusqu'à cent. S'il ne réapparaissait pas avant la fin du décompte, je me concentrerais plutôt sur cette histoire de bonbons dangereux.

Un…

Deux…

Trois…

Euh… ?

Qu'est-ce qui venait après trois, déjà ? Voyons ! C'était simple pourtant ! Arrrrggghhh ! Quelle honte ! Mon cerveau était totalement englué. Je n'arrivais plus à réfléchir. C'est tout juste si je me rappelais mon nom. Il était évident que je ne pouvais plus attendre une seconde de plus pour rentrer. Sinon, j'allais à nouveau me retrouver alité pendant deux semaines. Ou même pire… Malgré moi, je mis donc monsieur Réjean et sa mystérieuse disparition de côté. J'avais l'intention d'y revenir plus tard, quand j'aurais compris ce qui m'arrivait et que j'aurais rétabli ma condition physique.

Par miracle, je ne croisai pas Monsieur Net au retour. Avait-il abandonné la partie ? S'était-il blessé ? Ma supposition préférée : tombé dans un ravin, il avait été mordu par un serpent venimeux et dévoré par des chacals tandis qu'un corbeau picorait son œil droit.

Un gars peut toujours rêver…

Malgré mon sens de l'orientation déficient, je parvins à retrouver l'école et à y entrer. La danse de l'Halloween battait toujours son plein. Les lumières flashaient, la boule disco tournait, les gens bougeaient. Tout pour soigner mon mal de cœur… En faisant d'autres pirouettes dignes de Justin Timberlake, je m'avançai dans la foule en délire. Celle-ci se comportait toujours aussi étrangement. Pire qu'au début, même. Croisant le regard d'un élève, je ne pus retenir un frisson : je n'avais jamais vu des yeux aussi vitreux. J'observai les autres personnes autour de moi. Toutes avaient le même visage inerte. Plongé dans cette noirceur, j'eus subitement une illumination : ils avaient mangé des bonbons ! Et si l'école entière était intoxiquée !?

Juste pour compliquer les choses, l'alarme d'incendie se déclencha. Deux fois en un an ? Pendant la fête d'Halloween, en plus ? Pas de doute : ce coup-ci, il s'agissait bel et bien d'une vraie alerte !

…dddrrrrrrrrrrrrrrrrriiiiiiiiiiiiiiiiiiiiiiiinnnnnnngggggg…

Panique totale.

Les zombies eurent un dernier soubresaut de vitalité et se mirent à courir vers la sortie en hurlant. Comme si on n'avait jamais fait d'exercice d'incendie de notre vie. Aucun élève en rang, aucun semblant de procédure. Chacun bousculait l'autre pour sauver sa peau. Il fallait que je sorte d'ici, avant d'être piétiné comme un employé pendant le Boxing Day…

…dddrrrrrrrrrrrrrrrriiiiiiiiiiiiiiiiiiiiiiiiiiiiiiiinnnnnngggggg…

Dans la mêlée, je vis une poubelle se diriger vers moi. Jo !!! Il fallait l'avertir à propos des bonbons !

– JO ! hurlai-je, essayant de couvrir le bruit de l'alarme d'incendie.

Il ne m'avait pas entendu et poursuivait son chemin.

– JO ! criai-je à nouveau.

Enfin, il tourna les yeux dans ma direction. Oh oh ! Il avait encore son fameux regard : celui de sept samouraïs prêts à trancher quelques têtes…

– QU'EST-CE QUE […] VEUX ?

Son ton me confirma que sa colère n'avait pas diminué. De mon côté, notre dispute était le dernier de mes soucis.

– TU [...] PAS AVEC ANDRÉANNE ? beuglai-je.

– ON [...] PERDUS [...] VUE DANS LA FOULE !

...dddrrrrrrrrrrrrrrrrriiiiiiiiiiiiiiiiiiiiiiiiiiiiiiiiinnnnnnggggggg...

La lueur dans ses yeux était particulièrement inquiétante. Arrivais-je trop tard ? Avait-il pris des bonbons lui aussi ?

– MANGE PAS LES [...], gueulai-je.

– QUOI ?

– J'AI DIT : [...] PAS LES BON[...], répétai-je de toutes mes forces.

– JE COMPRENDS RIEN !

– J'AI BESOIN DE TON AIDE !!! réussis-je à hurler du bout de mes cordes vocales, lesquelles étaient sur le point d'éclater comme des cordes de guitare trop tendues.

Devant mon regard de supplication, Jo hésitait. Il semblait encore considérer que mes agissements avaient semé la pagaille entre nous. Cependant, en tant que meilleurs amis, on en avait vu d'autres.

...dddrrrrrrrrrrrrrrrriiiiiiiiiiiiiiiiiiiiiiiiiiiiiiiiiiiinnnnnnngggggg...

– IL [...] SORTIR DEHORS, dit-il en pointant la porte.

Je ne pouvais pas partir, pas avant d'avoir vu l'emballage que j'avais jeté plus tôt. Toutefois, ça commençait à chauffer réellement : au bout du couloir, un nuage de fumée noire venait d'apparaître. Sans plus attendre, Jo se joignit à la foule qui s'agglutinait devant les sorties, pensant probablement que je le suivais.

J'aurais dû, je sais.

Contrairement à tout le monde, j'avançai vers le nuage de fumée.

J'avais de la difficulté à voir. Mes yeux étaient pleins d'eau. Même avec mon chandail remonté sur mon nez, la gorge me piquait atrocement. La fumée s'épaississait de plus en plus et il faisait aussi chaud que dans un four.

…dddrrrrrrrrrrrrrriiiiiiiiiiiiiiiiiiiiiiiiiiiiiinnnnnngggggg…

Un discours de sécurité entendu au primaire me revint en tête : la fumée a tendance à rester en hauteur. Me couchant au sol, je pus me rendre compte que, finalement, on ne nous avait pas raconté n'importe quoi. Je poursuivis mon parcours jusqu'à la bibliothèque en rampant.

Quand je remis les pieds dans la maison hantée, je remarquai quatre choses : a) avec les lumières allumées, ce n'était qu'une simple bibliothèque poussiéreuse ; b) je pouvais y respirer librement, la fumée n'ayant pas pénétré dans la pièce ; c) l'alarme continuait de résonner dans le corridor, mais elle était assourdie par la lourde porte de la bibliothèque ; et d) Tignasse-de-Braises et toute sa bande s'y trouvaient !

On se dévisagea un instant, aussi surpris les uns que les autres. Je vis qu'ils se tenaient tous autour d'un énorme seau rempli de bonbons et qu'ils tenaient des papiers d'emballage dans leurs mains. Ils s'empressèrent de les cacher derrière leur dos.

...dddrrrrrrrrrrrrrrrrrrrrrrrrriiiiiiiiiiiiiiiiiiiiiiiiiiiiiiiiiiiiiiiiiiiiinnnnnnnnnnnngggggggggg...

– Tiens, tiens, si c'est pas notre grand ami Quat'zieux ! déclara Carotte-Vampirique.

Il me sourit ensuite, dévoilant des canines qui rêvaient de se planter dans la chair tendre de mon cou.

– C'est pas une bonne idée de te mêler de ce qui te regarde pas, ajouta-t-il.

Ce qui se tramait ici ne me concernait pas ?! Mon œil. Cette bande de rebelles avait un lien avec les maladies inexplicables, j'en étais sûr.

– Ça pourrait être dangereux pour ta santé, me menaça-t-il.

Ma santé... Très drôle. C'était probablement de leur faute si elle était aussi instable. Avant que je réplique, le plus grand de la bande s'avança vers moi. Déguisé en Thor, le nouveau super héros à la mode, il me regardait en tapotant de sa main une énorme massue.

Était-ce une vraie ? Était-elle en styromousse ? Mon crâne n'avait pas tellement envie de le savoir.

...dddrrrrrrrrrrrrrrrrrrrrrrrrriiiiiiiiiiiiiiiiiiiiiiiiiiiiiiiiiiiiiiiinnnnnnnnnnnnggggggggggg...

À ma gauche, j'aperçus la poubelle dans laquelle j'avais jeté mon emballage. Elle n'était qu'à un mètre de moi !

– Faites comme si j'étais pas là, répliquai-je d'une voix aussi tremblotante que le reste de mon corps.

Comme diversion, j'avais déjà trouvé mieux. Mais le hamster qui faisait rouler mes méninges était en pleine crise d'asthme.

– Attrapez-le !

Du bout des doigts, j'agrippai la poubelle, tandis que quelqu'un tira sur mon chandail de toutes ses forces. Catapulté vers l'arrière, je réussis malgré tout à la faire tomber.

– Cesse de gigoter !

Tout le contenu était éparpillé sur le sol. Zut ! Il y avait des dizaines et des dizaines d'emballages. Comment retrouver le mien ? Me retournant, je donnai un coup de tête digne de Zinedine Zidane dans le premier estomac venu.

– Ayoye ! Espèce [...] sauvage ! cria le gars déguisé en demi-dieu (finalement, c'est lui qui avait eu Thor de s'en prendre à moi !).

...dddrrrrrrrrrrrrrrrrrrrrrrrrrriiiiiiiiiiiiiiiiiiiiiiiiiiiiiiiiiiiiiinnnnnnnnnnnngggggggggg...

Me jetant à genoux, je fouillai parmi les détritus. Il y avait trois types d'emballage : rouge, vert et transparent. Si mes souvenirs étaient bons, le mien était transparent.

– Tu vas me le payer cher, décréta Cheveux-Flambés en m'attrapant la jambe pour me tirer jusqu'à lui.

Glissant sur le plancher tel une lamentable vadrouille humaine, je mis la main sur un emballage qui aurait pu être le mien. Comment en être sûr ? Étaient-ils tous pareils ? Je n'eus pas le temps de vérifier.

Juste avant de subir la raclée du siècle, je réussis à lire ceci :

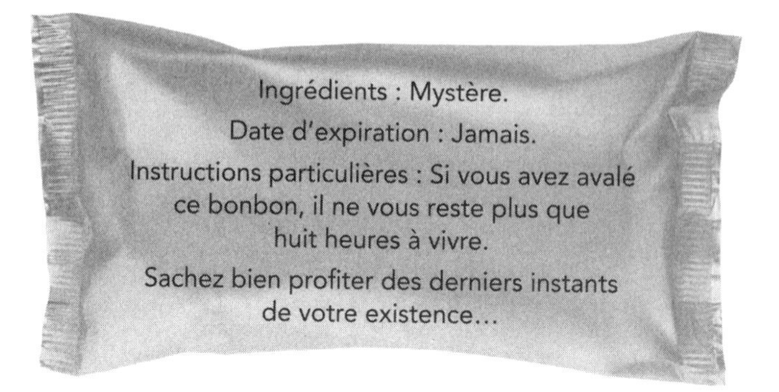

C'était tout. Impossible de savoir si un antidote existait ni comment me le procurer. Une volée de coups s'abattit sur moi, dont un particulièrement efficace sur la tempe droite.

Et c'est là que je perdis connaissance.

Encore.

... ddddddddrrrrrrrrrrrrrrrrrrrrrrrrrrrrrrrrrrrrrrrrrrrrrrrrrrrrrrrrrrrrrrrrrrrrrrrrriiiiiiiiiiiiiiiiiiiiiiiiiiiiiiiiiiiiiiiiiiiiiiiiiiiiiiiiiiiinnn nnnnnnnnnnnnnnnnnnnnnnnnnnnnnnggggggggggggggggggggggg...

TROISIÈME PARTIE

PHASE TERMINALE

I

31 octobre (quelques heures plus tard)

– Il y a des éléments de cette histoire que je n'arrive pas à m'expliquer.

Où étais-je ?

D'où venait cette voix ?

– Vous l'avez trouvé à quel endroit, déjà ?

Lentement, je soulevai une paupière. Peu à peu, j'apercevais une forme. Une forme avec une énorme moustache, laquelle frétillait d'inquiétude. Une seule personne pouvait avoir une telle chose sous le nez : monsieur Lachance. Et cette pièce ne pouvait être que son bureau. **LE BUREAU DU DIRECTEUR**. Un endroit qui se voulait accueillant, avec ses meubles en acajou, ses murs aux couleurs chaudes et ses fauteuils en cuir. Pour les élèves, cela équivalait plutôt à une chambre des tortures. Il ne manquait qu'un gros monsieur velu, torse nu et cagoulé, qui caresserait une guillotine du bout des doigts…

Comment étais-je parvenu jusqu'ici ?

– Il était couché par terre, en plein milieu d'un couloir.

Une seconde voix.

Je tentai un coup d'œil subtil : une deuxième personne se tenait dans un coin de la pièce. Oh non ! C'était monsieur Réjean ! J'étais en territoire ennemi. Rapidement, je refermai ma paupière, continuant de jouer mon rôle d'inconscient.

– C'est probablement la fumée qui l'a incommodé, poursuivit le prof de maths.

– Au point de lui faire perdre connaissance pour la deuxième fois en un mois ? fit monsieur Lachance, sceptique.

Le directeur semblait du même avis que moi : quel menteur ! Un vendeur de voitures d'occasion aurait été plus crédible… L'Halloween, les bonbons, la bibliothèque. Tous les derniers événements remontaient à la surface et ça ne correspondait pas du tout à ce qu'il racontait. L'évidence me sautait maintenant aux yeux (même fermés) : cet hypocrite avait un lien avec la bande du rouquin et leurs petites manigances.

– Heureusement, l'incendie provoqué par Kevin Legrand-Brûlé n'a pas causé trop de dégâts, tempéra monsieur Réjean.

– Je me demande ce qui a bien pu provoquer un comportement aussi excessif chez lui…, s'interrogea monsieur Lachance, une trace de soupçon dans la voix. Il s'en tient seulement aux poubelles, d'habitude.

Quelle heure était-il au juste ? J'ouvris un œil et regardai l'horloge de la pièce : 18 h. Et j'avais avalé les bonbons vers quoi ? 13 h ? L'ultimatum de l'emballage clignota dans ma tête sur néons géants : HUIT HEURES À VIVRE. Il ne m'en restait donc plus que trois ! Je ne pouvais pas rester ici. Je devais trouver un remède et vite !!!

– Le père de Pierre-Antoine devrait arriver d'une seconde à l'autre, rajouta le directeur, changeant de sujet.

Mon père… Ne manquait plus que ça ! Curieusement, je n'étais pas le seul à être angoissé par cette annonce :

– Il faudrait qu'il se réveille avant son arrivée…, émit monsieur Réjean avec une certaine frayeur dans la voix.

Se sentait-il coupable de ce qui m'était arrivé par sa faute ?

– Je suis d'accord avec vous sur ce point, acquiesça monsieur Lachance. Écoutez, je vais m'assurer que monsieur Gravel reçoive un accueil digne de ce nom et j'irai moi-même l'attendre devant la porte de l'école. Je ferai un arrêt par l'infirmerie pour voir ce que nous avons qui pourrait aider ce jeune homme. D'ici là, je vous demande de rester ici. Il ne faut pas le laisser seul.

– Entendu, approuva mon prof de maths.

Puis j'entendis le directeur se diriger vers la porte. Quelle erreur de m'abandonner entre les mains de monsieur Réjean ! Dès que son supérieur fut parti, celui-ci en profita d'ailleurs pour me chuchoter à l'oreille :

– Ne t'en fais pas, j'ai un remède qui saura bien te réveiller, tu vas voir. Laisse-moi simplement aller le chercher.

Défiant l'ordre de son supérieur, il sortit à son tour. Cette chance n'allait pas se présenter deux fois. Il fallait réagir. Maintenant !

Ouvrant grand les yeux, je me levai d'un bond et me dirigeai vers une des fenêtres du bureau, que j'ouvris. Je savais exactement ce que je devais faire : découvrir le contenu de la valise que monsieur Réjean avait apportée dans la Forêt magique. L'antidote pour mon bonbon empoisonné s'y trouvait, j'en étais certain. Et mon seul indice concret était la mystérieuse clairière, où Lebœuf-Haché et lui avaient disparu. C'était donc là que j'avais l'intention d'aller en premier. Par chance, le vendredi soir, tous les élèves de l'école repartaient à la maison, même les pensionnaires. J'étais donc sûr de ne croiser personne en chemin.

Maintenant que la nuit était tombée, la montagne qui se dressait devant moi paraissait encore plus sinistre. Je continuai d'avancer malgré tout dans sa direction, mais je m'arrêtai après quelques mètres : je venais d'entendre un bruit !

Des rires !?

Étais-je en train de devenir complètement cinglé ? D'où provenaient ces ricanements qui résonnaient en écho, comme dans une cathédrale ? Leur étrangeté me donnait la chair de poule. Satan rigolant aux tréfonds de l'enfer n'aurait pas fait mieux. En portant davantage attention, je réalisai qu'ils émanaient d'un endroit précis, au pied de ce mont imposant. Fiou ! Cela discréditait la thèse de la folie. Il ne me restait plus qu'à aller voir ça de plus près. Guidé par les rires, je traversai le champ pour me retrouver devant... un cul-de-sac. La paroi rocheuse était trop à pic pour y grimper, à moins d'être un pro de l'escalade. Et la contourner serait trop long : elle s'étendait à perte de vue de chaque côté. Je tendis l'oreille. Les ricanements semblaient retentir de l'intérieur !! La montagne elle-même se moquait de moi ou quoi ?

Plus déterminé que jamais, je me mis à tâtonner frénétiquement la végétation près de l'endroit où le bruit était le plus fort. En cherchant, je trébuchai sur un petit buisson... qui se déplaça ! Il s'agissait d'un camouflage dissimulant une ouverture à mes pieds. C'est de là que montaient les gloussements de l'enfer. On allait maintenant voir de quoi j'étais capable.

Prenant une grande respiration, je me mis à quatre pattes et m'y engouffrai.

Je débouchai dans une grotte suffisamment grande pour m'y tenir debout. Si ça se trouve, j'allais probablement être attaqué d'une seconde à l'autre par un essaim de chauves-souris voulant m'arracher les yeux et me lacérer la peau. Ou, pire encore, j'allais croiser une famille d'ours (laquelle se fâcherait en découvrant que je n'étais pas Boucles d'or...). Par chance, ce que j'entendais n'était pas les grondements d'un carnassier, dérangé dans son hibernation. Non, il s'agissait plutôt de voix enjouées, en pleine célébration. Que fêtait-on ? C'est ce que j'allais découvrir.

Progressant dans un noir presque total, je me heurtai à un stalag-quelque-chose (c'était des stalagmites ou des stalactites, ceux qui montaient du sol ? Bon, P.-A., laisse tomber les détails inutiles, même si ça t'évite de penser à ta peur…). Plus j'approchais de la source du bruit, mieux je voyais mon chemin : les fêtards avaient apporté de quoi s'éclairer. Le passage tourna brusquement à droite et je me retrouvai aveuglé par la lumière. Vraiment subtil, comme entrée.

– Tiens, tiens : si c'est pas le retour du Jedi !

Noooonn ! Encore une fois, je m'étais enfoncé la tête dans la gueule du loup ! Un loup à l'haleine fétide, et n'ayant pas du tout le cœur à danser, même avec Kevin Costner… Toute la bande de Scalp-de-Youppi était là ! Bière à la main, objet enfumé au bec (et à première vue, ça ne semblait pas être des cigarettes Popeye…). Je venais d'interrompre leur petite fête.

Merde, merde, merde et re-merde !!! J'étais cuit !

(Excusez ma montée de laid, mais pour ma défense, je dois dire que je n'étais pas entouré de beautés…)

– On parlait justement de toi ! s'esclaffa leur chef dans un nuage de fumée toxique en s'avançant pour me roux-er de coups…

C'était entre lui et moi. Tant mieux. Un contre un, j'avais plus de chances. Enfin… Peut-être. Fort de mon expérience contre Yannick, je ne perdis pas de temps : je m'élançai en premier, comptant sur l'effet de surprise.

Coup ravageur numéro un : mon adversaire se tassa vers la droite et je touchai le néant.

Seconde tentative : mon crochet le plus fulgurant. Il l'esquiva vers la gauche.

Troisième essai : uppercut mortel. Je ne sais pas ce qu'il fit, mais je ne le touchai pas non plus.

À bout de souffle, je devais avoir l'air ridicule. D'ailleurs, l'endroit s'emplissait de l'écho cruel des rires de la meute.

POW !

D'où venait-il celui-là ? Ma joue se le demandait, en tout cas.

POW !

Deuxième attaque sur l'arcade sourcilière gauche. Dans un moment, j'allais me retrouver au sol, complètement K.-O.

Et c'est là qu'il surgit de nulle part.

II

– GÉRONIMOOO !!!

Jo !

Arrivant aussi furtivement qu'un avion japonais bombardant Pearl Harbor. Que faisait-il ici ? Tout de même, je devais l'admettre : son arrivée était parfaite. Juste à temps pour mettre des bâtons dans les roux de mon assaillant ! Surtout avec ce fameux regard, le même que celui de Bruce Lee lorsqu'il réduisait Chuck Norris en pièces. Il possédait réellement la fureur du dragon !

Avec ses cours de karaté rudement efficaces, Jo maîtrisa mon ennemi au sol en un rien de temps. Un membre de la bande s'avança alors pour secourir le chef. Paf ! Coup à l'abdomen. Se tenant le ventre à deux mains, il tomba au sol. Ne se laissant pas impressionner, un troisième osa se mettre de la partie. Résultat : un bon coup de pied derrière le genou, suivi d'un croc-en-jambe. Il se retrouva également par terre. Sournoisement, Lebœuf-Haché choisit ce moment-là pour s'élancer vers Jo par-derrière. Mon ami ne l'avait pas vu. Il fallait que j'intervienne ! Rassemblant toute l'énergie qu'il me restait, je fonçai tête première dans mon gigantesque adversaire. Je réussis à le frapper assez violemment pour qu'il bascule. On avait tous les deux roulé par terre et il était désormais par-dessus moi !

– Dis à ta bande de ne plus rien tenter, ordonna Jo, lequel venait de s'emparer du bras de leur chef.

– ÇA SUFFIT ! clama l'intimidateur, pressé tel un jus d'orange.

Je fus libéré. Jo desserra un peu son emprise, mais pas complètement.

– Mais d'où tu sors, toi ? demanda Lebœuf-Haché, que l'arrivée de mon ami avait surpris autant que moi.

– C'est nous qui posons les questions, rétorqua Jo avec autorité. Pas toi.

Mon ami me fit ensuite un hochement de tête complice. Si on voulait les interroger, c'était le bon moment. Enfin, on allait avoir quelques réponses à nos questions. Je saisis l'occasion volontiers :

– Que faisiez-vous dans la bibliothèque ?

– Euh… rien, attesta Carotte-Amochée (Carotte-Râpée ?). Rien de spécial, vraiment.

Jo resserra son bras avec plus de vigueur.

– OK, OK ! Je vais vous le dire !

La peur d'être endormi à tout jamais par la prise du sommeil venait de le convaincre.

– On était chargés d'emballer des bonbons spéciaux pour l'Halloween.

Comme je les avais vus faire, il ne m'apprenait rien de nouveau.

– Dans quel but ? poursuivis-je.

– On obéissait aux ordres, c'est tout, expliqua-t-il. En échange de certaines faveurs. Le pourquoi ne nous intéressait pas vraiment.

– Vous le faisiez pour qui, alors ? l'interrogeai-je ensuite.

On touchait au cœur du problème. Notre adversaire le savait et il hésita un moment. Mais Jo fit un geste devant ses yeux – une main fendant un crâne comme une vulgaire planche de bois – qui lui fit entendre raison.

– Monsieur Réjean.

Mon meilleur ami me regarda avec étonnement. Pour ma part, ce n'était pas une grande surprise. Je me tournai vers Lebœuf-Haché :

– Et les lettres ?

Du regard, il consulta le chef de la bande pour savoir s'il pouvait répondre. Ce dernier acquiesça.

– Monsieur Réjean aussi, avoua un Francis piteux, faisant une croix sur ses bonnes notes en maths. C'est ici qu'il les déposait dans sa petite mallette et nous, on les livrait.

Il pointa du doigt ladite valise par terre. Entièrement vide. Aucun antidote en vue... OK. Monsieur Réjean était bel et bien derrière tout ça. Pourquoi ? Et comment sa calligraphie pouvait-elle être identique à celle de Lebeau-Dubois ?

– Et cette histoire de bonbons spéciaux qui peuvent nous tuer, c'était vrai ou pas ?

– La vérité, toute la vérité et rien que la vérité, clama Francis. Je le jure.

En disant ça, il leva une main dans les airs, le sourire fendu jusqu'aux oreilles. De toute évidence, il savait quel bonbon j'avais mangé et le sort qui m'attendait.

– C'est juste des mensonges ! explosai-je.

– De quoi vous parlez ? demanda Jo qui n'y comprenait rien à rien.

– J'en serais pas si sûr à ta place, rétorqua Lebœuf-Haché.

Au fond de moi, j'espérais depuis le début qu'il s'agissait de balivernes. Mais avais-je le luxe d'attendre trois heures supplémentaires pour m'en assurer ?

– Est-ce qu'il y a un antidote ?

Francis haussa les épaules.

– C'est pas à moi qu'il faudrait que tu demandes ça, mais à monsieur Réjean.

On allait donc devoir faire cracher le morceau au prof de maths.

– D'ailleurs, compléta-t-il, l'air satisfait, une fille que tu connais très bien en a avalé un pareil au tien.

Résonnant dans ma tête, cette nouvelle information sonna une alarme assourdissante.

ANDRÉANNE !!!

Les salopards !

Lebœuf-Haché se mit à rire. Tous ses complices l'imitèrent – ne sachant probablement pas pourquoi, d'ailleurs. Et c'est dans cette cacophonie digne d'une bande de hyènes que je me précipitai hors de la grotte. Avec Jo sur les talons.

Vite ! Une autre vie était en danger maintenant !

Et une existence bien plus importante que la mienne encore…

À l'extérieur, je vis au loin des faisceaux lumineux transpercer l'obscurité de la forêt. Des lampes de poche. Monsieur Lachance avait probablement lancé des recherches pour me retrouver.

– Tu peux m'expliquer pourquoi on court ? haleta Jo.

– Viens, on n'a pas une minute à perdre ! Je te raconterai plus tard. L'important est de rejoindre une route pour sortir de la ville et trouver la maison d'Andréanne.

Je sprintai à travers la clairière et m'enfonçai dans la « forêt-plus-si-magique-que-ça ».

– Pour faire quoi exactement ?

– La sauver de la mort !

Le seul chemin qu'on connaissait nous aurait ramenés directement au stationnement de l'école. À éviter absolument puisqu'on nous cherchait. On s'enfonça donc dans le bois en direction du nord. Du moins, c'est ce que me disait la mousse sur les arbres, comme je l'avais appris lors de ma brève carrière de scout (tant que je n'avais pas à faire de nœuds, on survivrait…). Cet itinéraire devait nous faire éviter l'école et nous mener éventuellement à une route. Si on était chanceux…

– C'est vraiment sérieux cette histoire de mort ? Pourquoi on se charge pas de monsieur Réjean tout de suite, à la place ? m'interrogea Jo.

– Tu as entendu Lebœuf-Haché, non ? Il faut avertir Andréanne de ce qui l'attend, rétorquai-je.

J'esquivai une énième branche qui en profita pour atterrir dans le visage de mon ami.

– Et toi ? le questionnai-je. Comment as-tu su que j'aurais besoin d'aide au fin fond d'une grotte ?

Il vérifia d'abord s'il n'avait pas perdu un œil.

– Disons que je n'avais pas tellement envie d'être dans la même maison que mes parents durant toute la fin de semaine. Je les ai appelés pour leur dire que je voulais passer la fin de semaine chez toi et ils ont accepté.

Je repoussai de nouveaux branchages particulièrement épineux.

– Quand j'ai vu que t'étais pas sorti de l'école malgré l'incendie, raconta-t-il, je t'ai cherché longtemps.

Ouch ! Branche meurtrière numéro cent soixante-huit.

– Je t'ai vu courir vers la Forêt magique. Comme tu semblais te sauver en douce, j'ai pas osé crier ton nom. Mais je t'ai suivi quand même.

– En tout cas, conclus-je, sans toi, j'étais mort.

Je m'arrêtai alors pour lui dire un mot, coincé au bord de mes lèvres depuis un moment déjà. Un mot que, malheureusement, on ne se dit pas assez souvent entre amis :

– Merci, Jo.

Par chance, on croisa une route après seulement une vingtaine de minutes de marche. La civilisation nous accueillit avec ses voies asphaltées, ses voitures et un quartier résidentiel décoré de façon classique pour l'Halloween.

– Et maintenant ? demanda mon ami.

– Il n'y qu'une seule façon de se rendre rapidement chez Andréanne : en voiture.

– Bien sûr ! Quelle évidence ! rétorqua-t-il avec ironie.

Notre petite dispute ne l'avait pas changé d'une miette. Ni lui ni son scepticisme légendaire.

– Et supposons qu'on en trouve une, poursuivit-il, je te rappelle qu'on ne sait pas conduire – si tu t'en souviens !

Ignorant son objection, je levai mon pouce bien haut.

– De l'auto-stop !? s'exclama Jo. C'est trop dangereux !

– Ce qui guette Andréanne l'est encore plus…, répliquai-je.

Avant que mon ami m'en dissuade, une voiture s'immobilisa à quelques mètres. Déjà !? Était-ce plus facile le soir de la fête des Morts ? De toute façon, ce n'était pas le moment de m'arrêter à ces considérations. Sinon, le nom de cette célébration allait prendre tout son sens pour Andréanne et moi…

– Viens !

Je me précipitai en direction de notre bon Samaritain. La fenêtre côté passager s'abaissa. Lentement. Avec un petit grincement récalcitrant.

J'aperçus alors le conducteur.

Je faillis faire une crise cardiaque ! Avoir été un poisson rouge, je crois que j'aurais choisi ce moment-là pour remonter à la surface et me reposer éternellement sur le dos...

La personne derrière le volant était nulle autre que... monsieur Lavallée !

III

Monsieur Réjean avait envoyé son frère à nos trousses !

– Sauve qui peut ! criai-je à Jo.

– Attendez ! tenta le prof de géo.

Jo ne se replia pas dans la forêt comme je m'y serais attendu. Il bifurqua vers la droite et partit en direction des maisons avoisinantes.

– Où vas-tu ?!

– Aucune idée ! fut sa seule réponse.

Tant qu'on s'éloignait de monsieur Lavallée, ça me convenait.

– Attention ! m'avertit mon ami pendant qu'on courait.

J'accrochai une citrouille qui trônait sur un piédestal d'occasion. Celle-ci s'écrasa sur le sol avec un bruit répugnant (pouuittscchhh). On n'avait pas choisi la bonne soirée pour passer inaperçus aux yeux du voisinage…

– Revenez ! cria monsieur Lavallée derrière nous.

Une portière claqua : il se lançait à notre poursuite !

– Suis-moi, me conseilla Jo.

Il se transforma alors en ninja nocturne et enjamba une clôture décorée de toiles d'araignées. Je tentai d'imiter mon ami. Ce que je n'avais pas vu, c'est que la clôture en question se terminait par de petits bouts de broche en forme de crochets. Lamentablement, mon kimono s'y coinça. Je m'imaginais déjà finir torse nu devant les retraitées du quartier…

– Jo, je suis coincé !

– Chut ! Tu vas alerter tout le monde !

Réussissant à me dépendre, je dégringolai au sol, avec la grâce d'un Humpty Dumpty qui explose en mille miettes au pied de son mur. Me relevant, je compris aussitôt pourquoi mon ami ne voulait pas que je fasse de bruit : une pancarte sur le terrain où je venais d'atterrir ne faisait pas partie des décorations d'Halloween…

« Attention : chien dangereux »

Devant nous se dressait maintenant l'animal le plus énorme de la planète. Une bête monumentale. À côté de lui, Beethoven avait l'air d'un caniche. En plus, il était clairement enragé : un bain-tourbillon d'écume s'accrochait aux coins de sa gueule.

– GRRRRRRRRRRRRRRrrrrrrrrrrrrrrr…

Jamais on n'allait en sortir vivants…

– T'as une idée de génie pour nous sortir de là ? demandai-je pendant que mes dents exécutaient un solo de claquettes digne de Fred Astaire.

– En le contournant, on pourra atteindre le terrain suivant puis la rue, m'expliqua Jo. Si on se fond parmi les jeunes qui passent l'Halloween, monsieur Lavallée pourra pas nous rattraper.

Le monstre galeux avança d'un pas. J'eus un frisson en apercevant ses yeux injectés de sang. Ses grognements étaient tellement puissants que le sol vibrait sous nos pieds. Avec quoi ses maîtres le nourrissaient-ils ? À voir sa façon de baver en nous regardant : sûrement avec des enfants.

Je me sentais comme la cerise sur le sundae…

– Trois… Deux… Un… Go !

Jo s'élança vers le fond de la cour, là où nous attendait une seconde clôture. Avec une fraction de décalage, je le talonnai. Le molosse affamé se lança à notre poursuite. Au secours !

– Aïk ! Aïk ! Aïk !

J'étais de l'autre côté du grillage !

– Aïk ! Aïk ! Aïk !

Quel était ce bruit de souffrance ? Enfin à l'abri, j'osai me retourner. Le mastodonte était arrivé au bout de sa laisse et l'impact de la corde l'avait mis hors d'état de nuire. Roulé en boule dans un coin, il se léchait la patte, désormais aussi dangereux qu'un toutou en peluche.

– T'en as d'autres, des bonnes idées comme celle-là ? m'enquis-je à mon ami en resserrant la ceinture de mon kimono aux tendances exhibitionnistes.

– QU'EST-CE QUE VOUS FAITES DANS MA COUR ?

Oh oh ! Un tout petit monsieur se dirigeait vers nous d'un pas furieux. S'emparant d'un râteau, ce nain de jardin se lança à notre poursuite, croyant que nous étions des vandales.

– Vite ! me pressa Jo.

On courut en direction de la rue voisine. Lorsqu'on l'atteignit, j'entendis tout à coup mon ami s'écrier :

– Sac à papier !!

(Ici, vous pouvez mettre une expression plus croustillante, si vous jugez que « Sac à papier » manque un peu de puissance…)

On venait de tomber face à face avec monsieur Lavallée. Telle une tondeuse rusée, il nous coupait l'herbe sous le pied en ayant tout simplement fait le tour du pâté de maisons. Calmement, il prononça une phrase qui attira mon attention :

– Attendez ! Je suis de votre bord.

De notre « bord » ? Que voulait-il dire ? C'était plutôt intrigant. Du moins, assez pour lui accorder une seconde supplémentaire.

– Montez dans la voiture, proposa-t-il, je vais vous expliquer.

Euh… désolé, mais non. Il y avait quand même des limites à la crédulité ! Aucune chance que je mette les pieds dans sa voiture qui ressemblait à un corbillard (mon prof devait d'ailleurs faire le plein chez Ultra-Mort…).

Il renchérit :

– Je sais que mon frère est responsable de tout ce qui vous arrive.

À la suite de sa déclaration, il poussa un énorme soupir. Difficile de dire si c'était de la honte ou du soulagement. Tout ça me surprenait au plus haut point. Pourquoi se confier à nous ? C'était un changement assez radical. Surtout pour un prof qui, il n'y a pas si longtemps, voulait me punir d'avoir sauvé Jetté-Dupont…

– Premièrement, dit-il, je tiens à préciser que mon attitude sévère à votre égard visait à vous protéger.

Pour une fois, il semblait être lui-même. Était-ce un piège ? D'habitude, quand il ouvrait la bouche, c'était pour nous expliquer qu'« Alsama » n'était pas le nom de sa grand-mère, mais bien un truc pour mémoriser les provinces des Prairies canadiennes. Était-il humain, après tout ?

– Je vous cherche depuis l'incendie, continua-t-il. Je sais que vous avez été témoins de certains événements exceptionnels et j'aimerais qu'on en discute.

J'eus alors une idée :

– Je suis prêt à vous raconter ce que je sais, mais à une condition.

Jo ouvrit la bouche d'étonnement, dépassé par les événements.

– Laquelle ? demanda monsieur Lavallée.

– On a besoin d'être déposés chez une amie et c'est loin d'ici.

J'étais certain qu'il refuserait, prétextant qu'un enseignant ne pouvait pas jouer au taxi, qu'il avait la responsabilité de nous confier à nos parents et blablabla.

Mais non.

– Marché conclu !

Après cette entente pour le moins étonnante, on monta dans son gigantesque fourgon mortuaire. Lequel, à chaque démarrage, devait faire au moins huit trous dans la couche d'ozone. Malgré tout, c'était plutôt confortable. Assez pour le grand sommeil, en tout cas.

– Que savez-vous des agissements de mon frère ? nous demanda monsieur Lavallée pendant qu'on roulait.

Malgré quelques réticences, je me sentais en confiance. Je lui déballai mon sac : les lettres, les bonbons, le comportement des élèves et, surtout, le lien entre notre prof de maths, la bande de Citrouille-Sanguinaire et la grotte secrète. Toutefois, je ne mentionnai rien sur l'emballage qui avait prédit ma mort imminente. Ce n'était pas le moment de faire paniquer notre nouvel allié. Pas maintenant qu'on se dirigeait vers la maison d'Andréanne.

– Vos faits corroborent malheureusement ceux que monsieur Lachance et moi avons découverts, annonça-t-il, à regret.

– Monsieur Lachance est votre allié ? demandai-je, surpris.

– Oui. Et le vôtre aussi, par le fait même.

Ah ! Voilà pourquoi il avait été si distant avec moi, malgré notre amitié. Lui aussi voulait nous protéger de ce qui se tramait à l'école.

– Vous auriez dû faire arrêter votre frère plus tôt, alors ! s'indigna Jo.

– Ce n'est pas si simple, soupira notre prof. Nous savons qu'il est lié à tout ça, mais il faut plus que de simples allégations. Porter des accusations nécessite des preuves. Et puis… monsieur Lachance est certain que mon frère n'agit pas seul.

Sa voix s'assombrit légèrement.

– Une organisation bien plus puissante serait derrière ses manigances…

La voiture traversa une petite municipalité (où le panneau « 50 MAX » ne faisait pas référence à la vitesse, mais bien à la population), une ville très accueillante où toutes les maisons étaient à vendre, et on arriva à destination : 1750, Première Avenue. Je n'y avais jamais mis les pieds, mais je connaissais l'adresse d'Andréanne par cœur. Oui, je l'avoue : j'avais passé l'été à fixer son numéro dans l'annuaire téléphonique, me demandant si j'aurais le courage de l'appeler. En fait, ne sachant pas de quelle « Carrière » il s'agissait au départ, j'avais dû tous les essayer. Un par un. Et quand j'étais finalement tombé sur une voix me répondant « Un instant, s'il vous plaît », j'avais raccroché à toute vitesse. Pitoyable, je sais.

Peut-être allais-je réussir à me rattraper aujourd'hui…

Sortant du véhicule, j'admirai sa maison un instant. Andréanne résidait dans un quartier cossu de la ville, mais sa demeure était sans prétention. Ce qui ne l'empêchait pas d'être très jolie. Coquette, même. À l'image de mon amie.

J'aperçus alors de la lumière à l'étage et je vis Andréanne se poster à la fenêtre de sa chambre pour observer les nouveaux arrivants. Mais… attendez un instant ! Qui était ce gringalet à ses côtés ? Ce démon blond au sourire angélique ? Bien sûr… J'aurais dû m'en douter ! Comment avais-je fait pour l'oublier, celui-là ?

Alexandre Lebeau-Dubois.

Grrrrrrrr !

IV

Je me sentais comme l'indésirable que j'étais. Voulant rebrousser chemin, Jo m'apostropha :

– Qu'est-ce que tu fais ? On est rendus !

– Demi-tour.

Il me bloqua l'accès au véhicule avec son bras.

– Tu disais tantôt qu'Andréanne était en danger ! me lança-t-il, irrité.

Si je le contournais, je pourrais peut-être entrer de l'autre côté de la voiture ?

– Oh ! Je comprends maintenant..., soupira-t-il en levant les yeux vers la fenêtre de la chambre. C'est à cause d'Alex...

Ah ! J'haïssais ça quand il l'appelait par son prénom ! Comme si c'était son grand ami !

– Pas du tout ! tentai-je.

Mon ton manquait légèrement de conviction. Jo secoua la tête. Il en avait marre de cette situation qui durait depuis des semaines.

– Il serait temps de mettre un terme à tout ça, tu ne crois pas ?

Monsieur Lavallée sortit de la voiture pour comprendre ce qui se passait :

– Il y a un problème ?

– Non, non ! fis-je, innocemment.

– Quand il y a un autre gars dans les parages, P.-A. est incapable de parler à la fille qu'il aime, exposa Jo, dressant de moi un portrait plutôt grotesque – lequel, malheureusement, n'était pas très loin de la réalité…

Pour qu'il se taise, je lui donnai un bon coup de coude. En retour, il me fit son sourire le plus niais. Monsieur était fier de son coup.

– Ah, je vois, compatit notre prof de géo, des troubles du cœur. Il n'y a rien de plus difficile à affronter.

Comme s'il connaissait ça ! Sa dernière conquête devait remonter à la préhistoire, s'appeler Délima et faire avancer sa voiture avec ses pieds... Saisissant que j'avais de la difficulté à faire face à mon destin, monsieur Lavallée ajouta :

– Laissez-moi vous donner un coup de pouce.

Puis il se dirigea en direction de la maison d'Andréanne pour sonner à la porte. De quoi se mêlait-il ? Jo m'incita à le suivre en me poussant légèrement dans le dos :

– Ma grand-mère irait plus vite...

Juste avant que la porte s'ouvre, notre prof prit un air sérieux. Je dirais même mystérieux.

– Promettez-moi une chose, dit-il en me tendant un téléphone cellulaire noir.

Wow ! Il possédait un objet d'une technologie avancée ? Lui ? Et qui ne mesurait pas huit pieds après s'être déplié en quatre ?

– Cela peut paraître compliqué, indiqua monsieur Lavallée, mais c'est tout simple. Vous appuyez ici pour me joindre. Là, c'est pour la vidéo et les photos.

Je refilai l'appareil à mon ami.

– Jo est bien meilleur que moi avec ces affaires-là.

Mon prof de géo me mit ensuite la main sur l'épaule d'un air solennel. J'avais l'impression d'être un chevalier sur le point d'être adoubé.

– Peu importe la raison, n'hésitez pas à me téléphoner, d'accord ?

– Et mon père ? m'inquiétai-je soudain. Il doit me chercher partout en ce moment !

– Je m'en occupe. Je vais appeler à l'éco...

Monsieur Lavallée fut interrompu par la porte qui s'ouvrait.

Andréanne !

Magnifique apparition qui me chavirait l'esprit. La brise nocturne lui caressait les cheveux et une aura de lumière lui donnait des airs angéliques.

Et son regard... Euh... Oups ! Son regard était particulièrement assassin...

– P.-A ! Qu'est-ce que tu fais là ?

Ma présence la surprenait. Mais celle de monsieur Lavallée semblait l'étonner encore plus.

– Qui est-ce, Andréanne ? demanda son père en s'avançant vers nous.

– Ah ! Des petits Halloweeniens ! s'enthousiasma sa mère en voyant mon accoutrement.

Elle me tendit un plat rempli de bonbons. Instinctivement, j'eus un geste de recul en les apercevant.

– Non, maman, ce sont mes amis, rétorqua Andréanne. Je te présente Pierre-Antoine et Jonathan.

– Enchanté ! s'exclama son père, un grand gaillard qui semblait tout droit sorti du gym. On a tellement entendu parler de vous !

Il me serra la main avec une vigueur qui faillit réduire mes phalanges en purée.

– Et voici monsieur Lavallée, ajouta Andréanne, que vous avez déjà rencontré il y a quelques semaines à l'école.

– Mais entrez donc, nous invita sa mère.

– Merci beaucoup pour l'offre, mais je dois y aller, rétorqua l'enseignant. Je vous laisse avec ces jeunes gens qui doivent terminer une recherche en équipe pour lundi matin sans faute.

L'étonnement pouvait se lire sur nos trois visages.

– Je peux compter sur vous pour faire du bon travail, n'est-ce pas ? ajouta-t-il avec un regard complice.

– Euh… oui, oui, baragouina-t-on en chœur.

Avant de partir, monsieur Lavallée s'adressa directement au père d'Andréanne :

– Ne vous en faites pas pour les parents de Pierre-Antoine et de Jonathan. Comme je devais passer dans les environs, je me suis entendu avec eux pour reconduire les garçons et ainsi leur éviter un déplacement inutile.

Pourquoi faisait-il tout ça ? Surtout que ses mensonges risquaient fort de le mettre dans l'eau chaude !

– Eh bien… Merci de vous dévouer ainsi ! répondit le père d'Andréanne. C'est en raison d'enseignants tels que vous que nous avons choisi ce collège.

Son paternel y alla d'une nouvelle poigne de fer puis notre enseignant s'éloigna. On entra ensuite dans la maison. Je repérai aussitôt une horloge. 19 h 10 ! Oh oh… Dans moins de deux heures, Andréanne et moi allions nous faire lancer de la terre fraîche sur le visage, avec des chants d'oraisons funèbres en guise de trame sonore. D'ailleurs, mon amie s'aperçut de mon agitation. Difficile de ne pas remarquer le tac-tac-tac que faisait ma jambe en gigotant sur le plancher de bois franc…

– On peut monter dans ma chambre ? demanda-t-elle.

– Oui, oui, répondit sa mère.

– Si vous ne mangez pas trop de bonbons, ajouta son père avec un clin d'œil.

– Pour ça, monsieur, répondis-je, il n'y a pas de danger. Si vous saviez…

En entrant dans la pièce, je n'eus pas le temps de m'attarder à la décoration (principalement des affiches de *Twilight*, sur lesquelles un « faux-jeune » vampire de cent six ans reluquait une adolescente…) ni à la présence de mon rival, tranquillement étendu sur le lit, car Andréanne m'apostropha dès que j'y mis les pieds.

– Qu'est-ce que tu fais chez moi ?

J'avais une seconde pour répondre. Maximum. Sinon, je risquais de mourir sur place, foudroyé par son regard.

– T'aurais pas mangé des bonbons dans la maison hantée aujourd'hui, par hasard ? l'interrogeai-je.

Elle me regarda, stupéfiée. Elle ne s'attendait pas à cette réponse, on dirait…

– Euh… oui, avoua-t-elle, confuse. Pourquoi ?

Merde ! Je le savais ! On était vraiment dans le trouble !

– C'est Lebœuf-Haché qui te les a donnés ?

– Non, répondit-elle.

Fiou ! Il y avait peut-être de l'espoir !

– Les bonbons que t'as mangés ressemblaient-ils à des pilules ? renchéris-je.

– Je sais pas…, admit-elle. Peut-être, oui. Je me souviens pas…

Mon attitude et la lueur fiévreuse dans mes yeux la déconcertaient. Elle semblait se dire qu'il faudrait me passer la camisole de force dans quelques minutes.

– Tu t'es pas sentie bizarre après les avoir avalés ?

– Non, du tout. C'est quoi toutes ces questions ? Tu crois qu'il y a un rapport entre ces bonbons et le comportement étrange des élèves à l'école cet après-midi ?

Peut-être Lebœuf-Haché m'avait-il tout simplement menti, alors. Pour me faire paniquer. *Yes !* J'étais donc le seul à craindre pour ma vie. Pas ma chère Andréanne.

– Moi, j'en ai pris quelques-uns qui m'ont fait tourner la tête.

Impossible ! Lebeau-Dubois OSAIT se joindre à la conversation ! Mon ton devint particulièrement cinglant :

– Toi, mêle-toi pas de ça !

– P.-A. ! s'offusqua Andréanne, furieuse que je persécute à nouveau son amoureux. C'est quoi ton problème avec Alex ?

Je ne me reconnaissais plus. En entendant la voix de mon ennemi juré, j'avais vu rouge. Pire qu'un taureau mettant les pieds dans une plantation de tomates. J'allais enfin lui dire ma façon de penser :

– Lève-toi ! lui ordonnai-je. Je vais te montrer de quel bois je me chauffe !

Les poings crispés, j'étais de nouveau prêt à me battre. À force d'être poursuivi par des intimidateurs, en étais-je devenu un ? Peut-être. Ce n'était pas le moment de m'attarder à ces réflexions. Mon adversaire, lui, ne semblait pas se formaliser outre mesure de ma demande. C'est tout juste s'il se redressa légèrement sur le lit d'Andréanne. J'étais le seul coq à être entré dans l'arène pour le combat. Et je commençais à avoir l'air du dindon de la farce…

– Qu'est-ce que j'ai dit pour te faire fâcher ? demanda Lebeau-Dubois. Ça fait deux fois que tu essaies de m'affronter, mais je ne comprends vraiment pas pourquoi…

Quelle insolence ! En plus, il laissait sous-entendre que j'étais le seul coupable ?! Dans une seconde, il allait goûter à ma salade de jointures, c'était inévitable.

– IL EST QUESTION DE SURVIE ICI, MAIS LA TIENNE, JE M'EN CONTREFICHE !! explosai-je, parlant à mort et à travers. QUE TU SORTES AVEC ANDRÉANNE, D'ACCORD, MAIS LAISSE-MOI AU MOINS LA CHANCE DE LA SAUVER !

Devant cette éruption vocale, Andréanne et Lebeau-Dubois se regardèrent, interloqués. Puis ils pouffèrent de rire. Qu'est-ce qu'il y avait de si drôle ?

– Tu penses vraiment qu'on sort ensemble ? s'enquit Andréanne, continuant de rigoler.

Ils étaient tout le temps ensemble ! C'était clair, non ?

– C'est pour ça que tu nous fuis et que tu ne veux pas être avec moi quand Alex est là ?

Euh... OUI ! En plein dans le mille, ma belle ! Il était temps !

– Oublie ça… il n'y a rien entre nous, tenta d'expliquer Lebeau-Dubois après un autre fou rire. On est juste des amis d'enfance. J'habite la maison d'en face.

Qu'est-ce que ça changeait ? Il est interdit d'aimer ses voisins ? J'étais vraiment sur le point de me perdre dans ce triangle des Bermudes amoureux…

– Sortir avec Andréanne, ajouta-t-il, ce serait comme être en couple avec ma sœur…

À ces mots, il jeta un regard complice à mon amie. Ils avaient tous deux de la difficulté à cacher leur hilarité.

– Ouach ! fit Andréanne.

À la suite de leurs explications, la tension dans la pièce s'évacua totalement. Et contre toute attente, Andréanne me sauta dans les bras. Je n'en croyais pas mes yeux ! Ma crise ne l'avait pas complètement découragée de ma personne ?

– T'es pas vite-vite, des fois…, affirma-t-elle avec un ton qui avait changé du tout au tout.

Sa réaction était inespérée ! En plus, mon ex-ennemi assistait à la scène avec un sourire géant. C'est tout juste s'il ne se mettait pas à applaudir !

– Enfin, déclara-t-il, visiblement soulagé.

Andréanne repensa alors à ma soudaine colère :

– Mais attends une seconde… Que voulais-tu dire par « une question de survie » ?

Elle avait repris son sérieux, m'observant avec son air déterminé habituel. Enfin, notre équipe était reformée ! Pour de bon, cette fois. Même si mon histoire était plutôt difficile à avaler, je leur racontai tout ce qui était arrivé, de notre dispute jusqu'à notre arrivée ici avec monsieur Lavallée.

– C'est impossible, décréta Jo quand j'eus terminé. C'était juste des bonbons, rien d'autre. Lebœuf-Haché a dit ça pour te faire paniquer, c'est tout.

Andréanne me prit la main.

– On peut pas courir la chance que ce soit vrai, Jo, rétorqua-t-elle avec fermeté.

– Tu peux compter sur nous, ajouta Lebeau-Dubois, lequel me semblait déjà moins antipathique.

Dans les yeux de mon amie, je lus une compassion qui me toucha au plus haut point. Elle me serra de toutes ses forces, comme si j'allais m'évaporer d'une seconde à l'autre. Qui aurait pensé qu'être à moins de deux heures de la mort pouvait s'avérer aussi positif ?

– C'est quoi ton plan ? me questionna-t-elle.

Même si j'en avais eu un, je n'aurais rien dit. J'étais trop bien dans ses bras. Sa chaleur, son parfum. La pièce entière s'était mise à tourner. Mais cette fois, je savais que ce n'était pas à cause des bonbons. Le monde entier n'existait plus autour de nous. Ce qui m'apparaissait impossible il y a quelques instants ne l'était plus désormais : dans moins d'une nanoseconde, on allait s'embrasser !

– P.-A. ! s'écria alors Jo. Tu m'avais pas parlé d'un Hummer rouge dans le stationnement de l'école ?

– Oui, pourquoi ?

– Il y en a un qui est stationné en face de la maison…

V

– Quoi ? m'étonnai-je.

– Viens voir ! s'exclama-t-il, en pointant l'autre côté de la rue du doigt.

Tout ça m'intriguait, mais je n'avais pas envie de quitter les bras d'Andréanne. J'attendais ce moment depuis si longtemps ! Voyant mon hésitation, elle hocha la tête, me signifiant que ce n'était que partie remise. Je la quittai donc à contrecœur pour rejoindre Jo à la fenêtre. Il y avait bel et bien un Hummer rouge, identique à celui de l'école, stationné devant la maison du voisin d'en face.

– Qui habite là ? demandai-je à Andréanne.

Elle lança un regard gêné en direction d'Alexandre. En voyant sa réaction, je compris tout de suite que c'était la demeure des Lebeau-Dubois. Je sentis mon nouveau degré de sympathie pour lui fondre à vue d'œil. Visiblement, Alex était mal à l'aise. Il paraissait même agité, lui qui d'habitude semblait toujours au-dessus de ses affaires.

– Il est peut-être temps que je vous confie ce que j'ai découvert…, admit-il en rougissant.

Et voilà ! Je le savais ! C'est lui qui avait écrit les textes pour la Fouine. Enfin, il allait l'avouer !

– Ce midi, débuta-t-il, quand P.-A. m'a montré sa lettre…

Il hésita. Pourquoi était-ce si long ? Viens-en aux faits !

– … j'ai été surpris.

J'avais l'impression d'entendre les secondes s'égrener…

Tic-tac-tic-tac…

– L'écriture de la Fouine est…

Tic-tac-tic-tac…

– … celle de mon père !

Quoi ?

– Ton père ? C'est quoi le rapport !?

Un peu plus et je me mettais à crier de nouveau. Ce n'était pas le moment d'attirer l'attention des parents d'Andréanne…

– Pourquoi est-elle identique à la tienne, alors ?

– Mon père a une obsession pour la calligraphie, confessa-t-il. Depuis mon enfance, il tient absolument à ce que j'écrive exactement comme lui.

Tout ça semblait un peu tiré par les cheveux. Toutefois, Alex avait l'air sincère. Je le sentais incapable de mentir avec autant d'aplomb.

– Et la voiture que vous voyez là, renchérit-il, c'est la sienne. Pourquoi avez-vous été surpris en la voyant ?

Je lui racontai ce que j'avais vu, quand Lebœuf-Haché avait reçu un colis d'une voiture similaire. Puis je me souvins de la rencontre de parents, lorsque monsieur Réjean avait serré la main du père d'Alex avec un enthousiasme surprenant. J'en fis part à ce dernier.

– C'est possible, concéda Alex, monsieur Réjean est son ami. Il vient parfois à la maison.

– Et c'est maintenant que tu nous le dis ?!! s'exclama Jo.

– Je ne savais pas que c'était pertinent ! J'aimerais bien t'y voir, toi…, rétorqua-t-il. Mais j'ai une autre information qui pourrait peut-être vous intéresser…

On ouvrit nos oreilles. Très grand, même (Dumbo aurait été fier de nous).

– Si j'ai quitté la maison pour venir ici tantôt, c'est parce que mon père est en « réunion ».

– Et alors ? demandai-je.

Il fit une pause, pour étirer le suspense.

– Devinez qui est venu chez moi, il y a un mois, pour l'une de ces réunions ?

Andréanne le comprit tout de suite :

– Monsieur Réjean !

Pour sortir de la maison à cette heure un peu tardive, on devait trouver une excuse pour les parents de mon amie (hum… était-ce ma petite amie, désormais ?). Solution : on leur fit croire qu'on avait déjà terminé la recherche pour le cours de géo et qu'une soudaine envie d'aller récolter des bonbons venait de nous prendre, même si on avait passé l'âge. Pour que cela soit crédible, Andréanne et Alex enfilèrent de nouveau leur costume. Toutefois, comme Jo n'avait plus le sien et qu'il n'avait pas l'embarras du choix, il dut se déguiser en fille.

Encore…

Ainsi costumés, nous étions prêts pour notre mission en équipe ! Luke Skywalker, Princesse Leia, Han Solo et… euh… Joséphine à la rescousse !

Devant nous, la maison des Lebeau-Dubois s'étendait sur environ deux acres. S'étendre, c'était le cas de le dire. Une véritable forteresse.

Même si le voisinage aimait les demeures exubérantes, celle-ci remportait la palme. Avec son entrée interminable, sa toiture qui se perdait dans les nuages, ses nombreuses portes de garage et ses murs en béton armé, on se serait plutôt attendu à voir ce genre de résidence à Hollywood. Il y avait même un terrain de tennis, une piscine creusée et un spa dans la cour. Toutes les lumières étaient éteintes. Plutôt radin pour le soir de l'Halloween, non ? Comment faisaient-ils pour tenir une réunion dans le noir le plus complet ? Se pouvait-il que ce soit en réalité une messe basse pendant laquelle on invoquait les esprits ? Où on sacrifiait quelques moutons en traçant des pentacles ensanglantés au sol ?

– Comment vous faites pour vous payer tout ça ? m'ébahis-je pendant qu'on s'approchait de la porte d'entrée.

Alex nous expliqua que son père avait fait son blé dans l'industrie céréalière.

– Mais vous allez voir, ajouta-t-il, ça paraît beaucoup plus petit une fois qu'on est à l'intérieur.

Bon… Monsieur essayait d'être humble.

– Si ton père est en réunion, comment se fait-il qu'il y ait juste le Hummer dans le stationnement ? remarqua Andréanne avec perspicacité.

– Les invités utilisent le garage ? tenta Jo.

– Non, répondit-il en sortant un trousseau de clés, seules ses voitures de collection sont rangées là. Ses invités se font toujours déposer par une voiture qui repart ensuite.

Alexandre nous ouvrit la porte. Décidément, entrer dans l'antre de l'ennemi est beaucoup plus facile quand tu as la clé…

– On voit rien du…

– Chut ! me coupa Lebeau-Dubois. On n'est pas supposés être ici.

Interdiction d'allumer les lumières, il fallait avancer à tâtons. Le plancher ne sembla pas apprécier notre présence.

Crriiiiccccc...

– Quand il est en réunion, nous expliqua Alex à voix basse, l'accès à la maison m'est formellement interdit. Même chose pour ma mère.

Crraaaaccccc...

– As-tu déjà bravé l'interdiction ? chuchotai-je.

– Non. Tu veux pas contrarier mon père, crois-moi.

Hum... Avait-on bien fait de venir ici ? Même s'il ne me restait qu'une heure et demie à vivre, je n'avais pas envie de l'écourter davantage.

Crroooccccc...

Chaque nouvelle enjambée provoquait des craquements suffisants pour ameuter tout le quartier. Pire qu'une boîte de *Rice Krispies*.

– Je comprends pas, souffla Alexandre après un moment, on dirait qu'il n'y a personne.

Ce silence augmentait mon mauvais pressentiment. Toujours à l'aveuglette, on pénétra dans une seconde pièce. Une sorte de boudoir. La lune éclairait légèrement l'endroit grâce à de grandes fenêtres aux longues draperies. Tout était somptueux ici : tapisserie, moquette épaisse, fauteuils en cuir, lustre au-dessus de nos têtes. Jo remarqua alors les centaines de livres recouvrant les murs.

– Ton père aime vraiment lire, murmura-t-il, impressionné.

Alex haussa les épaules.

– C'est juste de la décoration. Je ne l'ai jamais vu en ouvrir un seul…

Aucun signe de vie dans les autres pièces de la maison non plus. La réunion avait-elle lieu ailleurs ? Alors qu'on arrivait à la cuisine, j'entendis un drôle de glissement dans la pièce précédente. Quelqu'un venait d'y allumer la lumière ! Par instinct, on se glissa derrière l'îlot de cuisine pour espionner l'intrus. Juste avant, je m'emparai d'un énorme couteau effilé et mes amis m'imitèrent : Andréanne prit un rouleau à pâte meurtrier, Lebeau-Dubois, un poêlon mortel et Jo... euh... Jo brandissait une petite cuillère. Ce n'était pas sa soirée...

Je tendis l'oreille. Le son devenait de plus en plus régulier. Des bruits de pas se dirigeaient vers nous ! Les semelles de l'inconnu venaient d'atterrir sur le carrelage de la cuisine et faisaient un petit « squik, squik » effrayant. Il alluma. On était cuits ! (C'était d'ailleurs l'endroit idéal pour l'être...)

Squik, squik.

Était-ce le père d'Alexandre ? Je n'osai pas regarder. Mes amis non plus. Mais si c'était lui, pourquoi avançait-il à pas de loup dans sa propre maison ?

Squik, squik.

Il se tenait de l'autre côté de l'îlot maintenant. D'un instant à l'autre, il allait nous repérer. De tout cœur, je souhaitais qu'il fasse demi-tour. Tenant mon couteau d'une main moite, je n'avais pas tellement envie de m'en servir.

Squik, squik.

Par miracle, il éteignit la lumière et se dirigea vers une autre pièce. Fiou !

– Avez-vous vu qui c'était ? demandai-je à voix basse.

– Non, répondit Andréanne.

– Moi non plus, fit Jo.

– Je l'ai rapidement aperçu de dos, répliqua Lebeau-Dubois, mais je ne l'ai pas reconnu. Je suis pas mal sûr que c'était la première fois que je le voyais.

Son histoire de réunion ne tenait pas la route. À part ce monsieur-super-louche-qui-nous-cherche-dans-une-maison-qui-n'est-pas-la-sienne, il n'y avait personne d'autre ici. Je m'emportai :

– Alors, elle est où ta *fameuse* rencontre ?

Lebeau-Dubois était aussi consterné que nous.

– Je sais pas…, admit-il, exaspéré.

À cet instant, Andréanne se leva pour quitter la cuisine, l'air déterminé.

– Qu'est-ce que tu fais ? m'étonnai-je.

– S'il est ici pour la rencontre, c'est nous qui devons le suivre. Pas le contraire.

J'admirais son courage. À la folie. Je lui emboîtai donc le pas, suivi de Jo et d'Alex. Même si rester derrière l'îlot pour le reste de l'éternité m'aurait semblé une meilleure idée… Dans l'embrasure de la porte, Andréanne nous fit toutefois signe d'arrêter. L'homme était juste là, dans le boudoir !

Je vis alors quelque chose que je n'aurais jamais cru possible dans la vraie vie.

Il se dirigea vers l'un des pans de murs couverts de livres. S'appuyant avec ses mains, il fit pivoter la bibliothèque, découvrant une porte. Il l'ouvrit, s'y engouffra et la referma derrière lui.

Avais-je bien vu ? On était dans un épisode de James Bond ou quoi ?

La maison renfermait… un passage secret !

VI

Après le départ de l'homme, la bibliothèque reprit sa position initiale comme par magie. Les lumières s'éteignirent, nous plongeant à nouveau dans le noir.

– Avez-vous vu ça ? chuchotai-je, complètement abasourdi.

Andréanne et Jo étaient aussi stupéfiés que moi. Mais le plus ahuri, c'était Alex. Jamais il n'aurait douté que sa maison renfermait des secrets de ce genre.

– J'ai vu son visage, déclara Jo.

– C'était qui ? demanda Lebeau-Dubois avec empressement.

– Je sais pas..., répliqua mon ami. Mais j'ai l'impression de l'avoir déjà croisé quelque part.

Bon. Tout ça pour ça.

Merci Jo…

– Qu'est-ce qu'on fait à présent ? les consultai-je.

Andréanne me regarda avec cette lueur que je connaissais si bien. Oh oh…

– On le suit !

Je le savais qu'elle dirait ça.

– T'es folle ! m'exclamai-je malgré moi.

– C'est pas moi qui dois trouver un antidote ! Il te reste juste une heure à vivre, je tiens à te le préciser !

Elle disait vrai : il fallait courir des risques. De plus, Alex et Jo n'avaient jamais paru aussi déterminés. Avec une ceinture de munitions en bandoulière et un bandana sur le front, on aurait pu croire qu'ils s'apprêtaient à jouer dans *Rambo*.

– OK. Allons-y ! décidai-je, devant la témérité de mes amis.

Mon élan fut vite arrêté par la bibliothèque. On avait beau essayer de la pousser, ça ne fonctionnait pas. Elle ne bougeait pas d'un pouce (même si on utilisait nos huit mains).

– Je ne comprends pas, lâchai-je, découragé. Elle s'est tassée toute seule tantôt !

– Il faut prendre le temps de bien observer le meuble, dit Andréanne.

Facile à dire, mais on n'y voyait pas tellement clair.

– On pourrait peut-être allumer une lumière ? m'essayais-je.

– Pas l'idée du siècle, murmura Alex.

Andréanne attira alors notre attention :

– Pssst ! Les gars ! Regardez ça !

Elle pointait du doigt un endroit précis de la bibliothèque. Tandis qu'on cherchait un moyen d'y voir clair, c'est elle qui n'avait pas les yeux dans sa poche.

– Je vois rien, se plaignit Jo.

– Touche ici et tu vas comprendre : la vis est différente des autres.

– Qu'est-ce que ça change ? me lamentai-je.

Pour me fermer le clapet, elle appuya fortement avec son pouce et… la vis s'enfonça en faisant un petit « clic » !

Andréanne avait raison !

– Aidez-moi à pousser !

Nos efforts n'étaient plus nécessaires. Le bouton enfoncé, la bibliothèque bougea pratiquement toute seule. Comme si elle était sur des rails. À présent, on avait accès à la porte. Un véritable coffre-fort en acier qui semblait à l'épreuve de tout : feu, balles, son. Pour l'ouvrir, il fallait tourner une manivelle. Si on m'avait affirmé qu'il s'agissait là de l'entrée pour un vaisseau spatial, je l'aurais cru sur parole.

– Vous êtes toujours partants ? nous demanda Andréanne.

On hocha tous la tête, malgré un étrange bruit de castagnettes (probablement nos genoux qui s'entrechoquaient de peur...).

– Il n'y aura plus de retour en arrière...

Sur ces paroles graves, Andréanne donna un coup de poignet vers la gauche pour faire tourner la manivelle. La porte s'ouvrit complètement.

Que pouvait bien dissimuler un tel blindage ?

– Si la moitié de la maison est un passage secret, pas étonnant que tu la trouves plus petite de l'intérieur..., dis-je à Alexandre en mettant les pieds dans l'ouverture.

Devant nous descendait un escalier. En bas, de la lumière nous parvenait.

– Regardez ça ! s'émerveilla Andréanne à voix basse.

Sur le mur à sa droite, un logo était gravé dans la pierre. Il ressemblait à ceci :

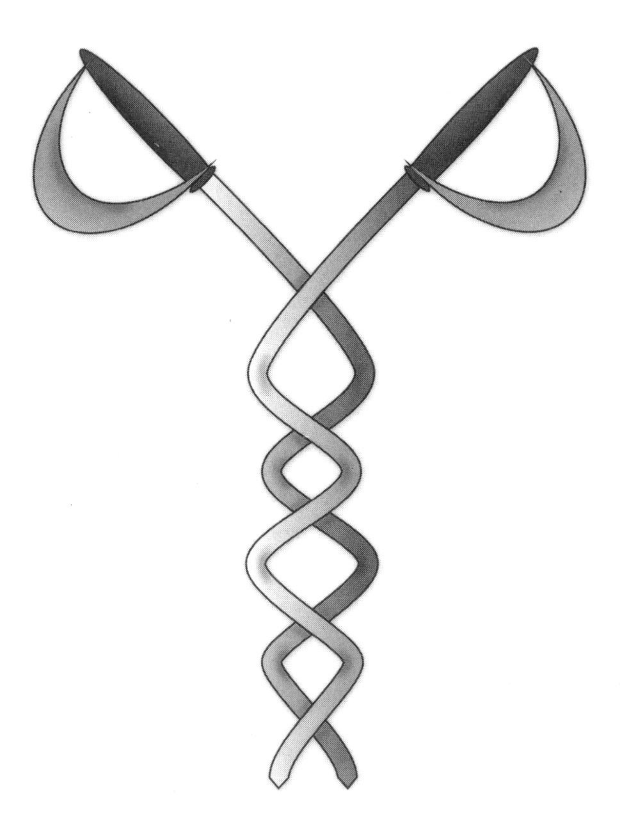

Ça me rappelait vaguement quelque chose. Mais quoi ?

– J'aime pas ça, nous fit remarquer Jo. J'aime pas ça du tout…

Aucune chance que cet endroit nous réserve une surprise agréable. Sur quoi allions-nous tomber ? Un club secret ? Une secte ? Un lieu où se planifiaient de nombreux assassinats ? Des voix nous parvinrent alors. À peine perceptibles. En tendant l'oreille et en demeurant extrêmement silencieux, on parvenait à saisir la conversation, plus ou moins distinctement en raison de l'écho sur la pierre :

– Alors, il y avait quelqu'un ? fit la voix-de-meurtrier numéro un.

– Non, personne, répondit voix-de-meurtrier numéro deux (probablement l'inconnu qui avait tenté de nous surprendre).

– Ce n'est pourtant pas ce que le détecteur de mouvements extérieur a signalé, rétorqua le premier.

– Il n'y avait personne, je te dis, insista le second. C'était probablement juste des jeunes qui passent l'Halloween et qui sont venus devant la porte malgré les lumières éteintes.

Une troisième voix se joignit à la discussion :

– On aurait dû faire installer des caméras...

– Ne vous en faites pas, déclara voix-de-meurtrier numéro quatre (ils étaient combien, dites donc ?), je vais m'en procurer quelques-unes dès demain. On n'est jamais trop prudents...

Alex me tapota l'épaule et chuchota :

– Ça, c'était mon père.

Peu importe ce qu'ils fabriquaient, ce ne devait pas être trop catholique. Personne n'a besoin d'autant de sécurité, à moins d'avoir quelque chose à cacher...

– Tant mieux ! fit une cinquième voix.

Cette dernière ressemblait à celle de monsieur Réjean. On touchait au but ! Par contre, on ne savait toujours pas ce qu'on allait découvrir en bas de cet escalier... À quatre, on était sûrs de se faire repérer.

– Restez ici, je vais aller voir ce qui se passe en bas, lança Jo.

Alex lui barra la route.

– C'est ma maison, c'est à moi de faire ce sacrifice.

Avec une fermeté qui me surprit, je mis un terme à ce débat :

– C'est pour me sauver qu'on est ici. C'est ma responsabilité de nous en sortir tous indemnes…

Même s'ils étaient surpris par ce regain de courage, ils ne pouvaient pas nier que j'avais raison.

– Sois prudent, me murmura Andréanne à l'oreille.

Ma chère Andréanne. Il n'était pas question que je l'abandonne.

Pas maintenant…

Ni jamais.

Je descendis une première marche. Si j'avais eu en main une torche fabriquée avec un bâton et les vêtements d'un squelette, on aurait pu croire que j'étais dans la pyramide de Ramsès XXVIII. Me dirigeais-je vers mon propre tombeau ? C'est ce que j'allais découvrir. Au moins, je n'avais pas besoin de lumière : celle-ci s'intensifiait à mesure que j'avançais. Les voix aussi, d'ailleurs.

– Alors, comment se déroule notre petite opération ? demanda la voix-de-meurtrier numéro un.

– Elle commence à porter fruit, certifia monsieur Réjean, que je reconnus sans peine.

Opération ? Quelle opération ? À quoi faisaient-ils référence ? J'arrivais maintenant au bas de l'escalier.

– Ce n'est pas ce que j'ai cru entendre, objecta la troisième voix. Aujourd'hui, surtout…

J'entendis ensuite un son mat. Comme si quelqu'un avait frappé sur la table avec son poing.

– Même notre petit stratagème ne couvrira pas vos erreurs très longtemps, répliqua Numéro-quatre.

– *Mes* erreurs ? s'indigna monsieur Réjean.

J'arrivais près d'une pièce plus grande, avec un plafond peu élevé. Et une ambiance lugubre. Il fallait traverser une ouverture voûtée pour s'y rendre. De chaque côté de cette ouverture, il y avait un petit pan de mur où je pouvais me cacher. Pour l'instant, j'étais à l'abri.

Pour l'instant…

– Messieurs, ce n'est pas le moment de se quereller, fit la voix-de-meurtrier numéro un. Je comprends vos craintes par rapport aux récents incidents et je les partage.

Je risquai un premier coup d'œil à l'intérieur. La salle devait avoir une bonne soixantaine de mètres carrés. Tout au fond, il y avait une grande table de conférence rectangulaire. Une dizaine de personnes s'y trouvaient. Devant chacune d'elles était ouvert un ordinateur portable.

– En raison de ce qui s'est passé aujourd'hui, fit la voix-de-meurtrier numéro deux, je considère que l'opération se dirige vers un véritable fiasco.

Second coup d'œil : le symbole aperçu plus tôt était gravé un peu partout sur les murs, de quoi vous hypnotiser. Pire que le pendule du professeur Tournesol dans *Tintin*…

– Peut-être faudrait-il cesser toutes nos activités ? proposa une septième voix, celle d'une femme qui n'avait pas encore parlé.

Je ne comprenais rien à leur charabia.

– Impossible, déclara monsieur Réjean. Nous sommes déjà allés trop loin.

J'entendis alors un bruit étrange. Une alarme. Avaient-ils détecté ma présence ? Je risquai un troisième coup d'œil : l'un des mystérieux convives appuya sur un bouton à sa droite, sous la table.

– Est-ce que vous me recevez ? fit une nouvelle voix remplie d'interférences sortant d'un interphone.

– Oui, répondit la voix-de-meurtrier numéro un.

– Pardonnez mon retard, continua le mystérieux émetteur. J'ai eu un léger contretemps à l'école, mais j'arrive à l'instant. Pas de panique si le détecteur de mouvements fait des siennes.

La voix était brouillée et résonnait comme celle d'un robot. Malgré tout, le phrasé ne m'était pas étranger. Qui était-ce ? Monsieur Lachance ?

– Nous devrions peut-être l'attendre avant de poursuivre, suggéra la dame.

Je réalisai alors ce qui m'attendait d'un instant à l'autre : j'allais tomber face à face avec ce nouvel arrivant. Et mes amis qui étaient en haut des marches, à découvert. Il fallait les avertir ! Je m'élançai, mais fus vite arrêté : les voilà qui descendaient l'escalier à leur tour. Aussi silencieux qu'un cortège funèbre. Que faisaient-ils ? Leur arrivée allait nous dénoncer ! Andréanne fut la première à me rejoindre. Dans son regard s'entremêlaient honte, surprise et déception. La suivant de près, Jo avait pour sa part un air embarrassé. Tout comme Alexandre.

Je compris rapidement pourquoi : il y avait quelqu'un derrière eux. Une quatrième personne. Une personne avec un pantalon soigné, un veston noir immaculé, une belle cravate, une moustache frémissante de colère.

Et des tempes grisonnantes…

Mon père.

VII

Le choc me terrassa complètement. Hors d'état de nuire. *Kaput*.

Mon père !? C'était bien la dernière personne au monde que je m'attendais à voir ici ! Quel lien avait-il avec tout ça ? Une chose était sûre : à voir son expression, il n'était pas ici pour nous sauver…

– P'pa… ? articulai-je en avalant difficilement ma salive. Qu'est-ce que tu fais là ?

– C'est plutôt moi qui devrais te poser cette question…

Il fit un geste pour nous signifier d'avancer. Misérablement, mes amis et moi obéîmes.

– Qui va là ? interpella la voix-de-meurtrier numéro un. Monsieur Gravel, est-ce bien vous ?

– Oui, c'est moi, répondit gravement mon père. Mais je ne suis pas seul…

Mes amis et moi avancions lentement dans leur direction, comme des prisonniers vers l'échafaud. Sous l'effet de la surprise, quelques conférenciers se levèrent brusquement.

– Comment sont-ils arrivés ici ? s'exclama l'un deux.

– Je vous avais dit qu'il y avait quelqu'un là-haut ! lança la dame du groupe en dardant un regard accusateur sur l'homme qui s'était rendu à l'étage.

Comprenant qu'il avait failli à la tâche, ce dernier préféra détourner les yeux. Tout comme pour Jo, cet homme ne m'était pas inconnu. À l'extrémité de la table, présidant la réunion, je reconnus le père d'Alex. Les autres visages me semblaient eux aussi familiers. Se pouvait-il que ce soit tous de parents d'élèves de notre collège ?

– Qu'allons-nous faire d'eux ? s'enquit un grand blond (la voix-de-meurtrier numéro trois).

– Je n'en sais trop rien, déclara sèchement monsieur Dubois.

– Voyons, papa ! Tu dois nous libérer ! protesta Alex.

Le visage de son paternel était si neutre que ça donnait froid dans le dos. Tout ce que j'y lisais : « Devrait-on les découper en morceaux et envoyer les restes à leurs parents par la poste ? »

– Et si on leur expliquait la situation, tout simplement, suggéra la dame. Peut-être comprendraient-ils ?

Ahhh ! Voilà une proposition qui me plaisait !

– Je ne compterais pas trop là-dessus, rétorqua monsieur Réjean.

Argh ! Il ne pouvait pas se taire, celui-là ?

– Je commencerais par les fouiller, décréta mon père. De nos jours, on ne sait jamais quels bidules électroniques ils peuvent avoir sur eux pour appeler à l'aide.

Oh non ! Le téléphone de monsieur Lavallée ! C'était notre seule chance de nous en sortir ! Je jetai un coup d'œil à Jo, qui l'avait toujours en sa possession. À son air affolé, je compris qu'il pensait à la même chose que moi. C'était le moment d'agir ! Tête première, on chargea férocement les adultes qui s'avançaient vers nous. Andréanne et Alex nous imitèrent. Je servis ensuite mon célèbre coup à la David Beckham dans le tibia de mon paternel.

– Pierre-Antoine ! s'écria-t-il de douleur, en sautillant sur une seule patte. Qu'est-ce qui te prend ?

Désolé, papa. Mais ce qui se tramait ici n'était pas très net. Débarrassé de son opposant, Alexandre courut en direction de l'escalier. Son père se lança à sa poursuite et lui barra l'accès. Zut ! Y avait-il une autre issue ? Rapidement, j'observai la salle : à ma droite, Jo faisait des roulades au sol, se chamaillant avec la voix-de-meurtrier numéro un ; à ma gauche, Andréanne tentait de se défaire de l'emprise de monsieur Réjean ; et tout au fond… il y avait une seconde porte ! Peinte en noire, même la poignée. Voilà pourquoi je ne l'avais pas aperçue plus tôt. Je m'y élançai, mais mon père m'attrapa par le collet.

– Viens ici…

J'étais fichu ! Je tentai énergiquement de me déprendre. La ceinture de mon kimono se détacha et celui-ci resta entre les mains de mon paternel. Ma fuite était désormais possible ! Elle était loin d'être élégante – j'étais uniquement vêtu de mes boxers couverts de petits bonshommes sourires –, mais ce n'était pas le moment de songer aux apparences ! Je posai la main sur la porte de sortie potentielle. Verrouillée. Non, non, nooooon ! Tout ça pour rien.

Littéralement acculé au mur, je me retournai. À quelques pas de moi, mon père serrait les poings, avec un air peu joyeux. Je constatai les dommages qu'avaient subis mes troupes : Andréanne avait été maîtrisée par un adulte faisant deux fois sa taille ; Jo était encerclé par quatre colosses ; et Alexandre revenait dans la salle de conférence, l'oreille tirée par son père. On avait perdu.

Je rougis d'embarras lorsque Andréanne fut amenée à mes côtés. Et pas uniquement en raison de ma petite tenue… J'avais honte de nous voir ainsi pris au piège. Et tout ça par une mystérieuse association.

Attendez un instant ! Ça me revenait. Je comprenais enfin pourquoi leur symbole me disait quelque chose. Ces épées, qui avaient l'air de deux « p » entrelacés, devaient signifier Power Power ! Nous étions donc dans l'antre de ce réseau d'entreprises qui nous avait mené la vie dure l'an dernier ! Et nos parents en faisaient désormais partie ?!

– Fouillez-les, ordonna mon père.

Était-il leur chef ? Ça en avait tout l'air. Par politesse, la dame s'occupa d'Andréanne, et Alexandre fut examiné par son paternel. Leurs recherches furent vaines. L'un d'eux s'approcha ensuite de Jo. Que faire pour éviter qu'ils saisissent le téléphone ? À mon plus grand désespoir, je n'avais aucun moyen d'intervenir. L'homme fit lever les bras à Jo et le tâta de la tête au pied. Rien. Il introduisit ensuite sa main dans les poches de la jupe en jeans que Jo avait dû emprunter à Andréanne pour se déguiser.

Poche droite.

Vide.

Poche gauche.

Le néant.

Poches arrière.

Nada.

Je consultai mon ami du regard. Où était passé le téléphone ? Son air ahuri me dit qu'il ne le savait pas plus que moi.

– Parfait, conclut mon père. Ils n'ont donc aucun moyen de communiquer avec l'extérieur.

Puis il se tourna vers moi. J'allais passer un mauvais quart d'heure. Bah ! Au moins, je pouvais me consoler en me disant que, de toute façon, c'était probablement mon dernier, puisque mon heure approchait…

– Toi, grogna-t-il. Viens avec moi.

Ce genre de phrase annonçait rarement de bonnes nouvelles. Il sortit son trousseau de clés, ouvrit la porte par laquelle j'avais tenté de fuir et me fit signe d'entrer.

– Est-ce que je peux me rhabiller avant ? demandai-je, piteux.

– Fais vite.

Mon exhibitionnisme était terminé pour aujourd'hui. Euh… Pour toujours, aussi, j'espère !

La lumière emplissant la pièce, je découvris un tout petit local, sorte de débarras avec quelques chaises, une table, et une ampoule nue qui pendait au plafond. L'endroit parfait pour un interrogatoire. Ou torturer quelqu'un, c'est selon. J'étais d'ailleurs surpris de ne pas voir de vieilles taches de sang séché sur le sol.

– Assieds-toi, commanda mon père avec autorité, il faut que je te parle.

Et c'est alors qu'il se mit à m'expliquer.

À *tout* m'expliquer.

Mes amis allaient me haïr, mais je n'avais pas le choix. Je devais obéir à mon père. À la fin de notre petit entretien, j'acquiesçai à sa demande. Mon paternel fit venir mes amis dans la pièce.

– Prenez place, exigea mon père.

– Faites ce qu'il vous dit, renchéris-je.

Au son de ma voix étonnamment morne, Andréanne éclata :

– Qu'est-ce que vous lui avez fait !? Un lavage de cerveau ?

– Rien du tout, répondit mon père.

– Tu es d'accord avec ce qu'ils font !? s'écria Jo, avant même de savoir de quoi il retournait.

La déception que je lus sur son visage me fendit le cœur. Celle d'Andréanne, plus douloureuse encore, acheva de le briser en mille miettes.

– Oui, fis-je bien malgré moi.

– Tu oublies les bonbons toxiques ! me rappela mon amie. Ton temps est pratiquement écoulé !

– T'en fais pas, la réconfortai-je, je connais maintenant l'antidote.

Cette réponse sembla l'apaiser et mon père commença ses explications :

– Notre association est composée d'enseignants et de parents concernés par la réussite des jeunes de votre collège. Nous avons tout mis en œuvre pour améliorer vos résultats scolaires.

J'en profitai pour renchérir :

– Vous vous souvenez des notes incroyables que les élèves ont obtenues en français ce matin ?

Mes amis hochèrent la tête.

– C'était grâce à eux.

– Mais comment ? se questionna Andréanne.

– Il y a eu deux phases, indiqua mon père. Depuis le début de l'année, grâce au soutien de compagnies pharmaceutiques – dont celle pour laquelle je travaille – nous expérimentons certains médicaments. D'abord, nous les avons introduits dans les plats de la cafétéria. Voilà pourquoi les résultats des pensionnaires étaient supérieurs dès le départ : ils fréquentent celle-ci quotidiennement. Aujourd'hui, nous sommes passés à la seconde étape, c'est-à-dire à la distribution à grande échelle, sous forme de bonbons d'Halloween.

– Mais il y a eu des effets secondaires…, comprit mon amoureuse avec perspicacité.

Elle me lança un nouveau regard désapprobateur. Lequel se logea dans mon cœur, telle une flèche empoisonnée.

– En effet, confirma mon père, les élèves n'ont pas tous réagi de la même manière face aux traitements pharmacologiques. Nous nous en sommes aperçus avec les photos des cartes étudiantes.

Je repensai à la carte de Jo, où il y avait un étrange reflet rougeâtre dans ses yeux.

– Nous en sommes venus à la conclusion que les gens ayant les yeux rouges sur la photo avaient des risques de se comporter de manière inhabituelle.

Des exemples me venaient en tête : des voix qui muaient, des élèves qui proféraient des obscénités, grossissaient, devenaient verts, se grattaient ou… tentaient de s'enlever la vie.

– C'est cruel ! explosa Andréanne, repensant à Jetté-Dupont sur le toit de l'école. Vous avez presque tué un élève !

– Oui, dit mon père en secouant la tête de regret. Une erreur de parcours désolante, j'en conviens. Afin de faire un meilleur suivi et de tenter de contrôler les effets, nous nous sommes empressés de le retirer de l'école. Avec l'accord de son père, bien sûr, lequel est d'ailleurs dans l'autre pièce au moment où je vous parle. Les doses ont été rééquilibrées depuis et il va beaucoup mieux.

– C'est illégal ce que vous faites ! pesta mon amie. Je ne peux pas croire que tu approuves ça, P.-A. !

J'esquivai le sujet :

– Parle-leur des lettres, papa.

– Une bêtise, puisque c'est ce qui vous a mis sur notre piste. Ça et le fait que Réjean ait confié des tâches à des élèves, et pas les plus intelligents de l'école, si vous voulez mon avis. Mais bon, aucune de ces décisions n'était la mienne. Les lettres, c'était l'idée de ton père, Alexandre.

Celui-ci sursauta :

– Quoi !?

– Voyant que, chez certains élèves, les changements comportementaux et physiques reliés aux effets secondaires allaient attirer l'attention, il a pensé à ce petit stratagème pour semer la zizanie et détourner l'attention. Tandis que les élèves étaient sous le règne de terreur de la Fouine, les expérimentations pouvaient continuer, car toutes les étranges réactions semblaient avoir été causées par les lettres et leurs secrets. Cela a d'ailleurs bien fonctionné, au début…

Jo bondit :

– Alors, le contenu des lettres n'était que des mensonges !?!

– Pour certains, oui, répondit-il. Mais c'est fou tous les secrets qu'on peut apprendre en étant un membre influent du Conseil d'établissement.

– Et pour moi ? Est-ce que c'était vrai ? fit mon ami d'une toute petite voix, incertain de vouloir connaître la vérité.

– Non, monsieur Leroux-Tremblay. Pour vous, l'histoire a été inventée de toutes pièces.

Cette nouvelle soulagea mon ami. Il s'écrasa sur sa chaise, presque heureux. Andréanne, quant à elle, n'en démordait pas :

– Vous avez mis nos vies en danger, uniquement pour que nos notes soient meilleures ? Pour que le collège soit mieux coté ?

– À long terme, ces expérimentations pharmaceutiques pourraient révolutionner le monde de l'éducation, se défendit mon père.

Andréanne n'en croyait pas ses oreilles. Elle fulminait.

– Tu approuves tout ce qu'il vient de dire, P.-A. ? s'enquit-elle, hors d'elle-même.

– Il a même accepté de nous aider, renchérit mon père, fier de moi. Je crois que vous devriez faire de même. En fait, vous n'avez pas trop le choix…

C'est à ce moment que je me levai de ma chaise, et affirmai haut et fort :

– Oui ! Je suis tellement d'accord avec cette histoire que j'aimerais la partager avec le plus de monde possible !

Je sortis alors un petit appareil noir de ma poche. Un objet précieux, échappé par Jo durant notre altercation avec les adultes, mais récupéré en même temps que mon kimono !

– Monsieur Lavallée, nous sommes prisonniers chez les LEBEAU-DUBOIS !! hurlai-je à pleins poumons dans le combiné. LA MAISON EN FACE DU 1750, PREMIÈRE AVENUE !

Les yeux de mon père s'agrandirent de surprise. Il venait de comprendre que le téléphone était en fonction depuis le début de notre conversation. Il réalisait aussi qu'en approuvant ses dires, je l'avais habilement trompé : mon seul but était de nous faire gagner du temps et de l'amener à tout dévoiler ! En racontant son histoire, il s'était dénoncé lui-même ainsi que tous ceux impliqués dans la magouille…

– POUR NOUS TROUVER, VOUS DEVEZ EMPRUNTER LE PASSAGE SECRET DERRIÈRE LA BIBLIOTHÈQUE !! continuai-je à l'intention de mon prof.

Mon père n'essaya même pas de m'enlever le téléphone des mains. Le visage complètement défait, il s'écrasa plutôt sur sa chaise.

Dans un « pouf » dramatique et triomphal.

Extrêmement triomphal, même.

Un son qui signifiait, comme le disait Jules César quand il racontait ses salades, qu'on était venus, qu'on avait vu.

Mais, surtout, qu'on avait vaincu !

ÉPILOGUE

(SI ON NE PEUT PAS PRÉVENIR, MIEUX VAUT GUÉRIR...)

15 novembre

Ça ne me tentait pas du tout, mais je l'avais promis à ma mère. Aujourd'hui, pour la toute première fois, je rendais visite à mon père incarcéré. En attente de son procès, il avait été placé dans une prison à sécurité minimale. Après quelques vérifications sécuritaires de routine (non… je n'avais pas caché dans mon pantalon une miche de pain dissimulant une lime d'acier), on nous fit traverser un long couloir. Au bout de celui-ci, un garde nous ouvrit une porte grillagée. Envahie par l'émotion, ma mère fut incapable de faire un pas de plus. Je voulus rester auprès d'elle pour la consoler, mais elle me fit comprendre d'un signe de la tête que je devais tout de même y aller seul. Je pénétrai dans une salle qui ressemblait à notre cafétéria scolaire. Si on oubliait ses surveillants armés d'un revolver, bien sûr… À de nombreuses tables, je voyais des prisonniers discuter avec leurs visiteurs.

Mon père était assis derrière l'une d'elles. Il paraissait totalement différent sans son traditionnel costume-cravate. Malgré le sentiment d'être en présence d'un inconnu, j'osai m'asseoir en face de lui. On resta ainsi un moment, se fixant dans les yeux, sans rien dire. J'avais de la difficulté à maîtriser les émotions contradictoires qui bouillonnaient en moi. Brisant ce silence inconfortable, je prononçai les premières paroles qui me vinrent en tête. Des mots qui me surprirent moi-même :

– Je suis désolé, p'pa.

– Tu n'as pas à l'être, mon gars.

Il n'avait jamais semblé aussi triste. Il avança sa main sur la table qui nous séparait. Je n'eus pas le courage de la prendre.

– Est-ce que maman était au courant de tout ?

– Non, j'ai toujours essayé de garder ta mère en dehors de ça. Toi aussi, d'ailleurs, mais j'aurais dû me rappeler que j'ai un fils plutôt intrépide et curieux.

Il y eut un petit silence.

– Je veux que tu comprennes qu'on croyait vraiment agir pour votre bien, renchérit-il.

Je hochai la tête. Je ne savais pas quoi répondre. Sa sincérité me rendait muet. La boule qui s'était formée au fond de ma gorge aussi.

– Ce n'est pas l'appât du gain qui m'intéressait, expliqua-t-il. Ni le fait de faire plaisir à la compagnie pharmaceutique qui m'employait. Je voulais réellement changer le monde de l'éducation avec nos découvertes et enfin réussir quelque chose d'important, au moins une fois dans ma vie…

Il fit une pause. Et avoua ensuite :

– Aujourd'hui, je comprends qu'on est allés trop loin, qu'on n'aurait jamais dû faire ces expérimentations dans une école, sur de vrais étudiants. Je le regrette. À la rencontre des parents, quand monsieur Réjean m'a annoncé que tu étais impliqué de trop près dans nos expérimentations et que tu risquais de tout découvrir, j'aurais dû mettre un terme à notre projet. En fait, j'aurais dû me distancer de l'organisation dès l'an dernier, à la suite de l'échec de monsieur Lugosi. Vous aviez déjà bien assez souffert...

Ses confessions semblaient venir du fond de son cœur et c'est ce qui me décida finalement à prendre la main qu'il me tendait. Ce geste le rendit davantage fébrile.

Moi aussi.

– Je veux que tu saches que je suis fier de toi, ajouta-t-il, la voix tremblotante.

La surprise me scia en deux.

– Tu es allé au bout de tes convictions, même si, pour ça, il te fallait m'affronter.

Émotif, il se leva et vint vers moi.

– Ne renie jamais qui tu es et ce en quoi tu crois, peu importe ce qu'on veut te faire croire ou l'argent que l'on t'offre.

Je me levai à mon tour et il me serra dans ses bras. Je ne pus retenir mes larmes plus longtemps.

– Merci, p'pa, réussis-je à articuler.

Je ne me souvenais pas de la dernière fois qu'il m'avait serré ainsi dans ses bras. J'aurais voulu que ce moment ne se termine jamais.

Une voie bourrue nous avertit alors :

– Aucun contact physique pendant les visites…

Alors, voilà. Le myope que je suis a contre-attaqué !

Et cette fois, la Force était bel et bien de mon côté : la bande de Power Power a été entièrement arrêtée. Pas seulement mon père, tout le monde. Même si le repaire chez les Lebeau-Dubois n'était qu'une branche du réseau, les policiers y ont trouvé assez de preuves pour démanteler l'empire au complet. Après mon coup de fil, les personnes impliquées ont tenté de fuir, mais elles ne sont pas allées bien loin. Les autorités ont été averties juste à temps par monsieur Lavallée et elles ont pu intervenir rapidement.

En effet, après nous avoir laissés chez Andréanne, notre prof de géo était resté dans les parages. Il savait que son frère, monsieur Réjean, était lié à toute cette histoire et il connaissait également les liens qui unissaient ce dernier au père d'Alex. Il se doutait bien que quelque chose se tramait dans la demeure des Lebeau-Dubois, mais jamais il n'aurait cru qu'une telle réunion se tenait ce soir-là, presque sous ses yeux ! Une chance qu'il avait eu l'idée de nous laisser un téléphone, au cas où…

Nos péripéties se sont donc bien terminées, finalement. Notre école est aujourd'hui libérée de cette entreprise qui nous prenait pour des cobayes ! Mais ma joie d'avoir découvert ce qui se tramait n'en demeure pas moins assombrie : qui aurait cru que mon père ferait partie du complot ? Je l'avoue, j'accepte difficilement son implication malgré son repentir. J'ai voulu le renier à quelques reprises mais, parfois, quand le côté sombre de la Force m'interpelle, j'essaie de comprendre ses actes. De les justifier. Pas longtemps, rassurez-vous. Mais juste assez pour admettre que personne n'est à l'abri de la folie des grandeurs et du tourbillon infernal dans lequel cela peut nous entraîner.

Même moi.

Même vous…

N'empêche, il ne faut pas croire que je suis désolé du dénouement de cette aventure. Au contraire. Nous avons eu raison de les dénoncer, je le sais. Et il n'y a pas eu que du négatif !

Premièrement, j'ai survécu aux soi-disant « bonbons-tueurs », *Mister* Rouquin et sa bande s'étant bien moqués de moi. En effet, ces derniers avaient inventé des emballages pour s'amuser à nos dépens et ceux-ci n'avaient aucun lien avec les effets secondaires réels des bonbons… Décidément, monsieur Réjean a fait toute une gaffe en leur confiant des responsabilités ! S'il voulait éviter d'éveiller les soupçons sur sa personne en faisant exécuter la sale besogne par des élèves, il avait seulement réussi à braquer davantage les projecteurs sur lui…

Deuxièmement, tandis qu'on mentionne le gourou et ses fidèles, soulignons que ces derniers ont cessé de m'intimider. J'imagine que Roux-de-fortune a encore peur de Jo et de ses pirouettes dignes d'un Jackie Chan survitaminé.

Troisièmement, j'ai appris à connaître Alex. Et à l'apprécier, aussi.

Et quatrièmement, il y a Andréanne.

Ma chère Andréanne…

À elle seule, elle valait bien toute cette mésaventure. Sans mon escapade jusque chez elle, je n'aurais jamais découvert ses véritables sentiments pour moi (ahhhhh ! – soupir de gars content). D'ailleurs, depuis deux semaines, je passe mes week-ends chez elle avec l'approbation maternelle.

Quoi ? Vous voudriez savoir comment ça se passe entre nous depuis cette histoire ?

Je le savais ! Bande de curieux ! Vous êtes pires que la Fouine…

Mais bon, c'est d'accord.

Juste pour vous.

– Pourquoi tu me l'as pas dit avant ? me demanda Andréanne.

Emmitouflés dans une couverture chaude, on était dans le sous-sol en train d'écouter un film d'horreur particulièrement sanglant.

– Pas dit quoi ? fis-je, entre deux grains de popcorn.

Elle délaissa notre chef-d'œuvre télévisuel, où un jeune couple se faisait trucider dans une ruelle sombre (romantique à souhait, n'est-ce pas ?), et me regarda droit dans les yeux :

– Que tu m'aimes.

Je pris un air gêné. J'avais encore de la difficulté à exprimer mes sentiments. Même si, désormais, je savais qu'ils étaient réciproques. À l'écran, quelqu'un hurla : « Ma jambe, ô mon Dieu, ma jambe ! » L'ambiance parfaite pour une déclaration d'amour, quoi…

– Euh… je pensais que tu le savais. Et je ne pensais pas que tu pensais la même chose que moi…

Hum… J'avais le don d'être clair. C'était probablement le bruit de tronçonneuse à la télé qui me déconcentrait.

– Continue, lança-t-elle avec un petit sourire en coin, tu vas peut-être réussir à me charmer avec tes belles paroles.

Pour dissiper le malaise, je recourus à un bon vieux truc qui avait fait ses preuves : je fis semblant de bâiller exagérément en m'étirant et l'entourai de mon bras. Elle rit de bon cœur de ma manœuvre ridicule.

– T'es tellement niaiseux, des fois !

À son tour, elle m'enlaça.

– Mais c'est comme ça que je t'aime.

Ses paroles provoquèrent un agréable frisson tout le long de ma colonne vertébrale.

– Moi aussi…

Je m'arrêtai un instant, pris une grande inspiration et prononçai enfin ces mots à mon tour :

– … je t'aime.

Elle posa alors ses lèvres sur les miennes.

Tendrement.

Longuement…

Assez en tout cas pour que le générique se déroule au complet et qu'un mot apparaisse en toutes lettres sur l'écran :

FIN

P.-S. – Pour ceux qui trouvent que mon récit finit abruptement, n'oubliez pas que c'est bien entendu une histoire à suivre (les suites étant toujours plus rentables…).

P.-P.-S. – N'essayez pas d'obtenir plus de détails croustillants sur Andréanne et moi, bande de fouineurs !

À+

P.-A.

REMERCIEMENTS

Je tiens d'abord à remercier toute l'équipe des Éditions de Mortagne pour leur enthousiasme et leur dynamisme en ce qui concerne mon petit myope : Caroline, Sandy, Alexandra, Geneviève, Marie-Claire, Mélanie et Chloé, sans qui ce deuxième tome n'aurait été que l'ombre de lui-même.

J'aimerais ensuite saluer les auteurs qui m'ont rapidement fait sentir chez moi dans cette nouvelle aventure qu'est l'écriture (Priska Poirier, Yanik Comeau, Corinne De Vailly, Tristan Demers, India Desjardins, etc.) ainsi que la joyeuse bande du « Café des écrivains » pour leurs précieux conseils (Annie Quintin, Solène Bourque, Amélie Bibeau, Francine Gauthier, Véronique Dubois, Sylvie Gaydos, Cathleen Rouleau, Sylvie-Catherine De Vailly et tous les autres !).

Également, je suis très reconnaissant de l'appui reçu par la commission scolaire des Trois-Lacs dans le cadre de mon travail ainsi que de son ouverture par rapport à mon emploi du temps de plus en plus complexe.

Aussi, j'aimerais faire une mention spéciale à ces élèves qui, par leur amour des jeux de mots et de l'humour, m'ont fait quelques suggestions, dont certaines sont restées dans la version finale du roman ! (George Boulay, Marie-Pier Villemure, Revie Pablo, Samy Atmani, Alex Mercier et l'ensemble des Everest 241, 242 et 243 de la cohorte 2009-2010 de la Cité-des-Jeunes).

De plus, un gros merci à l'Association des écrivains québécois pour la jeunesse pour m'avoir attribué le prix Cécile-Gagnon ; à Communication-Jeunesse pour la sélection ; et à l'Association des libraires du Québec pour m'avoir mis en nomination dans le cadre de leur prix jeunesse : toutes de belles marques de reconnaissance !

Ensuite, je remercie la libraire Nathalie Tremblay, grande fan du « raisin » de Raymond Plante, pour son enthousiasme quant à mon « myope » ; Patrick Rozon et Marielle Chamberland, pour m'avoir aidé à dénouer les fils un peu tordus de ma trame narrative ; les frères Raymond et Jean, pour s'être prêtés au jeu des noms humoristiques ; mon élève Chérilyne Labelle, pour la première version du logo de Power Power (www.cherry-line.deviantart.com) ; Jean Morin, pour cette seconde illustration qui me plaît encore plus que la première ! ; la librairie Boyer et le Burgundy Lion pour mes lancements ; les directions, les bibliothécaires et les enseignants qui m'ont invité dans leurs écoles (merci spécial à Chantal Gauthier pour cette belle visite en Ontario et pour avoir commencé la « nerdomanie » !) ; ma famille, mes amis et collègues qui me soutiennent dans mes projets ; et, surtout, Émilie, dont l'amour quotidien me donne la force nécessaire pour continuer à écrire.

Finalement, je voudrais remercier George Lucas pour son coup de téléphone, où il me disait, en gros: « Excuse-moi de te déranger, Marc-André, mais je me demandais si tu voudrais faire un lien entre ta série du myope et la mienne – tu sais, celle qui s'intitule *Star Wars* ? Ce serait très gentil parce que ça me ferait de la belle pub… » (Un gars peut toujours rêver, non ? ☺)

Du même auteur

Déjà paru…

Hey toi ! Oui, toi ! Deviens membre de la page Facebook « La revanche du myope de Marc-André Pilon » pour y discuter des livres de la série, faire part à l'auteur de tes commentaires et être au courant de toutes les primeurs !
99¢

Chez le même éditeur

Chez le même éditeur

Chez le même éditeur

Chez le même éditeur

Chez le même éditeur

Chez le même éditeur

Imprimé sur du papier 100 % recyclé